KB075670

사랑으로 말미암아

사람으로 말미암아

발 행 | 2024년 01월 16일
저 자 | 홍예원
펴낸이 | 한건희
펴낸곳 | 주식회사 부크크
출판사등록 | 2014.07.15.(제2014-16호)
주 소 | 서울특별시 금천구 가산디지털1로 119 SK트윈타워 A동 305호
전 화 | 1670-8316
이메일 | info@bookk.co.kr

ISBN | 979-11-410-0000-0

www.bookk.co.kr
ⓒ 홍예원 2024
본 책은 저작자의 지적 재산으로서 무단 전재와 복제를 금합니다.

친애하는 사랑들에게

나, 라는 사람

1.

나는 오늘도 오아시스가 되는 꿈을 꾼다.

- 오아시스는 누구에게나 있을 텐데.

2.

나는 주와의 협상이 필요하다. 가령, 이 기도만 들어주시면 앞으로 교회 잘 나갈게요, 하는 얄팍한 상술. 그토록 간절한 적이 없었다. 매번 내 기대를 저버리는 건 필수 항목인지 궁금하지만 마땅히 답해 줄 만한 이 없으므로 더 이상의 말을 꺼내지 않는다. 나는 또 다시 허공에 대고, 혹은 자기 전 무릎을 꿇고 기도한다. 그러다 안 되면 세례명을 언급하고, 그러다 안 되면 장롱 깊숙이에 숨어있는 염주를 꺼낸다. 하지만 마지막에는 결국, 주가 비교적 쉽게 찾아와주세요. 하는 일.

3.

나의 비밀은 모든 사람을 사랑하는 것이다. 쉽게.

4.

사랑하는 것들에는 유효기간이 있어. 나는 그 사실에 절망한다. 어쩌면 당연한 말인데도 갖다 붙이기 나름이다. 나는 종종 유효기간에 정체되어 있는 것만 같다. 가끔씩 내가 다이어리 날짜를 2015년으로 적는 것도 그렇다. 열아홉이나 먹어놓고 열다섯에 머물러 있는. 열에 아홉은 정말 헛먹었다.

5.

편지를 받았다. 너만의 글을 써나가길 바란다는 내용의 짧은 편지. 소설을 미뤄둔지 꽤나 오래되었다. 앞으로도 그럴지도 모르겠다. 내가 써나가는 글들을 죄다 영양가가 없다. 글을 쓰기까지 오랜 시간이 걸리지만 그마저도 곧 버리게 된다. 탕진하듯 써버리는 소설에는 부끄러움만이 잔뜩 묻어있다. 아무에게도 보여주지 못할 미사여구들이 가득한 어쩌구저쩌구.

6.

창밖에는 괴성이 들려온다. 어린아이의 울음소리. 여인의 울부짖음. 굳게 닫힌 이중창 너머로 들려오는 출처가 불분명한 소리들은 무의미하게도 두려움을 던진다. 이전에 어릴 적 그때 살던 조그만 빌라에서는 하도 언어들이 뒤엉켜 잠을 깨웠다. 인도말을 하던 옆집 아이의 어린 선생님이 되어주는 짧은 시간을 하루 유일한 낙으로 알던 나였다. 보잘 것 없고 보잘 것 있는 것들에서 나는 어느 위치에 있는지 아직도 감이 잘 오지 않는다. 방향을 잃은 나의 길목에는 밤새 엄마를 기다리는 아이가 있는데. 어느덧 훌쩍 커버린. 이제는 독립의 기로에 있는 내가 우두커니 서 있을 뿐이다.

7.

언제쯤 다정을 다정으로 온전히 받아들일 수 있는 내가 될 수 있을지 참 의문이다. 나는 그렇게도 아무런 대가없이 아무에게나 다정을 베풀면서도 나에게 닿는 다정은 한없이 의심하게 된다. 어쩌면 그게 다정일까, 생각하면서.

풋-이라는 말에서

우연한 스물에 길을 잃을까 봐 전전긍긍하며 지내고 있다. 내뱉기도 부끄러운 몇 편의 글들이 그때는 어찌나 나를 괴롭히다가도 뿌듯하게 만들었는지 알다가도 모를 일이다.

덜 익은 나는 미숙한 글들을 종종 써내고는 했다. 가끔은 푹 익어버린 것 같다는 이야기를 듣지만 그저 찰나의 말뿐이다. 소멸과 종말 사이에서 늘 정처 없이 맴돌다 결국, 제자리였음을 깨닫는 것이 불행임을. 덜 익은 글자들을 적어내며 알게 되었다. 그 글자들로 이루어진 미숙한 것을, 세상 밖으로 글을 쏟아냈을 때 나는 과연 가뿐해질 수 있을까.

기꺼이 울어보는 밤, 이불을 끌어안고 간신히 마지막 문장을 띄운다.

물을 주는 행위의 지속성

아무래도 나는 글렀다, 라고 생각했던 삼 년을 보냈다. 후회되지 않냐며 나를 탄식했다. 아까운 시간들이 점점 쌓여 가는데 그다지 중요하게 여기는 것 같지 않은 태도의 나는 거듭 한숨을 내쉬었다. 나 자신도, 나를 둘러싸고 있는 주변인 모두가 그랬다.

영글은 씨앗이 되라던 아무개를 보고 한껏 비웃은 적이 있다. 영글 었다는 건 싹을 틔워낸 열매들이 익어버렸을 때 사용하는 말 아닌가. 나는 그 말이 아직까지 정확히 이해되지는 않지만, 어쩌면 조금은 알아챈 걸지도 모르겠다.

글을 써내려갈 수 있는 힘을 기른 건 인생에서 가장 잘한 일이라고 생각하지만. 굳이 그렇게 배웠어야 했나, 하는. 써먹을 데가 마땅치 않다는 원성이 자자한 말머리들을 뒤로한 채. 나는 거듭해서 한 줄씩 쓸 뿐이다. 그럼에도 부족하고 저 밑바닥 실력이라 부끄럽다. 어떻게 쓰든 간에 습작일 따름인 글들을 한 편 한 편 찍어내던 그때도 소중

했듯이. 문장을 끝맺지 못하고 애매하게 전을 찍어버리는 버릇을 고쳐야 한다. 말뿐인 다짐들을 어떻게 다룰 수 있을까.

　새로운 분야를 접하겠다면서 기존에 해왔던 일들을 동경하는 모순을 좋아하는 아무개가 있다. 우연한 스물에 길을 잃을까 걱정하고 설레하며 또 하루를 헛되게 버릴까 봐 조마조마한다. 당신에게 이름 모를 씨앗이 하나 주어진다면 그건 도전일 수도, 기회일 수도 있다. 싹을 틔워내기 위해 전전긍긍하는 자신을 볼 수 있겠다. 물을 주는 행위의 지속성은 그렇다.

우울함을 먹고 자라는

종종 그러한 생각을 한다. 인생이란 참 덧없다. 난 우울함을 먹고 자라는 아이라고 생각했다. 나는 그냥 네가 웃겨. 네 주변 모두가 그럴 걸, 하는 친구의 말도 믿겨지지 않다. 공허를 이기지 못해 여기 저기 인연을 쌓아가는 것도 요즘은 지쳐간다.

잠자기 전 내게 오늘도 멀쩡했다고 말하는 것이 전부였는데. 이제는 혼자를 두려워해야하는 바보 같은 아이로 변해버렸는지. 아, 이제 나는 아이도 아니라 책임져야 할 것들이 많아져 간다. 어른은 언제부터 되고 싶었더라. 줄곧 나는 나의 하루를 간신히 버텨왔다. 매년 써내 려갔던 유서들은 어쩌면 어른이 되어갈 준비였을까. 단명이 꿈이라고 해왔지만 죽음을 무서워했던 옛날을 아직도 기피한다.

속삭이는 투의 노래들을 몇 시간 동안 들으면서 베푸는 삶의 부재와 사랑받음에 대한 결핍은 무척이나 짙다. 글을 쓰는 것에 대한 확신도 없으면서 매일 글을 쓰는 내 자신을 보며 알게 모르게 모순을 느낀다. 사랑한다는 말을 쉽사리 내뱉지 못하는 내 자신이 밉다. 감정의 표현은 여전히 어렵다. 싹싹하다는 말과 싹수없다는 말을 동시에 듣는 것. 정이 미치도록 없지만 누구에게나 애정은 다분한. 불완전한 다정에서 벗어났다고 생각하였는데 아직도 허우적대는 게 익숙한 어린양일 뿐이다.

- *내일이면 나를 버릴 사람들. 걱정하는 게 아니에요.*

스스로를 대상화하며 살아가는 지난 몇 개월의 방식. 이상한 행동과 이해하지 못할 발언을 하는 예술가의 작품을 소비하는 것. 미안하지도 않으면서 거듭 사과를 하는 저자세의 나 자신. XX의 노래만 듣고 싶어. XY의 노래는 정이 안 가, 라는 말에 웃음을 터뜨리는 친구 모습에 나는 더 우스꽝스러워진다. 쉬워 보이지만 쉽지 않도록 보이려 했으나 이미 실패라고 느껴지는 나날들. 나조차도 아끼지 않는 변명의 며칠들. 존중 따위 없는 대화 속에서 나는 계속 무너져간다.

"너는 참 밝아, 성격이 좋은 것 같아."
"그럼, 그렇게 보이기 위해서 얼마나 노력했는데."
"장하다. 기특하네."

단 두 마디로 나를 울려버리는 지독한 그 아이도, 엉엉 소리 내어 울고 싶다는 말이 무색할 정도로 자주 울어버리던 나도. 이제는 다 질려버릴 것만 같다. 상처받는 게 싫어서 먼저 질려버린 척했던 멍청이에게는 진지한 만남이 필요하다, 던 친구의 말도 이제 다 부질없다.

　요즘은 이런저런 어딘가에 빠져있다. 내가 사랑했던 그들도 나를 사랑했을까, 하는. 어쩌면 조금 슬픈, 돌연변이의 회고록*)처럼. 연민을 사랑이라고 착각했었음을 깨달았을 때 느낀 비참함. 사는 게 이리 재미없다니….

---

*) 예원은 '시소의 입김(돌연변이의 회고록)'이라는 책을 출간한 적이 있다.

알 수 없는 사람들만이 늘어가네

어렸을 때는 줄곧 거절을 못했다. 그래서 내가 원치 않는 깊은 인간관계를 맺기도 했었다. 거절을 못하는 것과 더불어 의사표현을 정확히 하는 것도 어려웠기에 상대에게서 쓸모가 다 한 것처럼 느껴지게 행동을 꾸며냈다. 그런 관계들의 맺고 끊음에는 탈이 많았다. 나는 그 관계 속에서 나를 점점 잃어갔다.

자신을 잃어가며 쌓아가는 인간관계에는 어떤 의미가 있을까? 나는 늘 내게 묻는다. 나는 어디서나 환영받지 못하고 어디에서나 속하지 못한다. 그건 나, 본연의 문제라고 생각했다. 몇 가지 이유에서는 맞기도 하다. 나는 나 자신을 잘 모르면서 굳이 여러 가면들을 쓰며 살아갔는데. 그것들은, 그렇게 맺은 관계들은 눈 깜빡할 새에 사라지고는 한다.

누군가 나를 이야기할 때 그런 말을 한 적이 있다. 너는 혼자 있고 싶어 하는데, 주변에 사람이 많아야 안정을 느껴. 참으로 모순적인 사람이 바로 나였다. 웃기는 이야기다. 타인이 나에 대해 이야기할 때 나는 늘 이해를 못한다. 네 모습은 그런 게 아닌데, 너 원래 그런 애 아니잖아, 하는 말들.

아마 생을 다할 때까지 이해하지 못할 암호문 같다. 때깔이라도 고우면 어디 좀 좋아. 불쾌하고 더럽고 가끔씩 화나기까지 하는 나에게서 늘 벗어나고 싶었다. 나에게서 더는 문제점을 찾고 싶지 않다. 타인의 시선에서도 그만 자유로워지고 싶다. 다들 내게 그닥 관심이 없는데 나는 너무 나를 속박하고 구속한다. 그것이 좋은 방향인지 나쁜 방향인지는 실은 잘 모르겠다. 옳고 나쁘고를 따질 것은 아니지만.

엉엉

잠을 끊고 싶다. 요즘은 끄적이는 것보다 더 많은 시간을 잠자는 데 버리고 있다. 생산성 없는 하루가 나날이 쌓여감에도 애써 외면하고 싶었다. 일상을 내던지고 미루는데 아무런 죄책감도 느껴지지 않는다. 종종 미워지는 나를 언제쯤 놓아줄 수 있을까.

한동안 꾸지 않던 악몽이 불현듯 찾아왔다. 무엇인지도 모르고 거듭해서 쫓기는 나. 몇 번이고 이사를 반복했던 나의 집들이 배경처럼 자리 잡았다. 나는 전혀 그 집들을 피난처라고 여기지 못하고 아예 다른 곳, 새로운 공간을 향해 무작정 뛰는 수밖에 없었다. 정체모를 무언가에 쫓기는 어린아이에게는 단지 따스한 안식처가 필요했다. 아무도 들어주지 않을 넋두리를 한참.

"미워하는 이들에게 기꺼이 다정을 건네줄 때, 너를 닮고 싶다는 생각을 했어."

무척이나 다정한 아이의 말이 뼈저리게 파고든다. 우리가 닮아야 하는 건 나의 다정이 아니라 너의 다정인데. 나의 다정은 일종의 무심이라 너를 다 이해할 수 없다. 나는 또 웅얼거리다가 삼켜버린다. 너는 내게 누구보다도 환하게 미소를 지었지, 그 모습을 나는 장면으로 남겨두고 영영 잊지 못하겠다.

너는 자존감이 너무 낮아서 문제, 라는 친구의 말에 이제는 더 이상 귀를 기울이지 않게 되었다. 좋아하는 사람이 나를 좋아하면 언제 그랬냐는 듯 갑자기 그 사람에 대한 마음을 거두었다. 충분한 애정을 받지 못했을 때 발현되는 또 하나의 결핍.

쉽사리 사랑을 속삭이려다가 마는 일이 늘었다. 사랑에 진실한 자가 몇이나 될지. 대부분의 이들이 그러하듯 나는 그 몇에도 포함되지 못한다는 사실을 잘 알고 있다. 요즘은 사랑한다고 말하는 대신 사랑을, 하고 싶다는 이야기를 더 많이 뱉는다. 그 관계 속에서는 늘 사랑이 부재하고 나는 텅 빈 우리의 사이에서 불분명한 애정을 갈구한다. 끝이 정해진 만남과 예상치 못한 상황들의 연속. 나는 어디까지 괜찮다고 생각하며 살아왔는지. 아직까지도 의문을 던진다.

엉엉 울며 썼던 편지를 겨우 부쳤다. 돌아올 줄 몰랐으나 어쨌든 답신이 왔다. 나도 울까 봐 아직 너의 편지를 읽지 못했어. 대화 부족으로 인한 소통의 단절. 아껴두고 싶다는 말을 듣고 싶었으나 끝끝내 듣지 못했다. 그저 내가 우선순위가 아닐 뿐. 그렇게 생각하면 조금은 편하다. 잿빛의 속상한 표정들이 우스꽝스럽게 쌓여간다.

시린 스물의 여름. 여전히 서로가 엉엉 우는 밤.

곁에는 나를 잊어가는 사람들이 가득하다. 나를 보지 않았던, 알지 못했던 때로 돌아가자. 너의 수많은 계획에는 애초부터 내가 없었다. 불쑥 들이닥쳐 불쾌했을까. 좋아한다는 말에는 달콤함이 진득한데 굳이 입 밖으로 내세우기에는 일말의 감정도 담겨있지 않다. 한 마디에 우리의 사이가 변한다니, 참 웃긴 일이다. 어쩌면 나는 줄곧 섭섭할 것이다.

이름이 불리는 게 달갑지 않아졌다. 그들도 나와 똑같은 마음일까. 지루한 연락들 사이에서 나는 다시 표류된다. 나의 취미는 잡아먹기, 라는 다수의 농담에도 웃어넘길 수 있을 정도로 덤덤해졌다. 그토록 갈망하는데 너는 단절이 가능한 거야? 나는 고개를 젓는다. 정체성은 희미해져가고 껍데기만 남아버린 살결들. 금주가 필요한 밤이 좁은 방 창문으로 스며든다.

"사랑하며 살고, 사랑하다가 떠나라."

모순이다. 세상에는 내가 할 수 있는 일과 없는 일이 있다. 너는 내가 지키지 못할 것을 알면서 끊임없이 내게 약속을 한다. 나는 그러한 너에게 온전함을 느낀다. 우리가 서로의 약속을 지키지 못할 것이라는 얄팍한 믿음. 그 아래 스며드는 이유 모를 안정감. 파도가 밀려들 때 뛰어드는 삶을 살고 싶었다. 나는 잘하고 있는 걸까.

여전히 생각날 때마다 유서를 쓴다. 죽지도 못할 거면서.

영정을 준비하는 시한부처럼. 울고 있는 것이 마냥 웃는 것보다 편안해지기 시작해졌다. 내내 우는 게 밑바닥이라도 되는 듯 꺼려하며 살았던 나날들에게 비아냥을 건네는 재미난 새벽. 우습게도 어떻게 살다가 어떻게 죽느냐에 대해서 이제는 더 이상 중요하지 않게 되었다.

인내하고 또 인내하세요. 운동을 배우며 가장 많이 들었던 말이다. 살아감에 있어서도 마찬가지. 곧게 자란 이들에게 꼬리처럼 달라

붙었다. 끊임없이 배울 점을 향해 흔들었다. 결국 갉아 먹히는 존재는 나와 너, 둘 중 누구일지. 사랑한다는 말을 하지 못해 오늘도 아쉬울 따름. 우리의 다정은 아직 책장에 숨어 있어요. 언젠가는 꺼내볼 수 있을까요. 당신의 다정은 퍽이나 따스해 나는 눈을 질끈 감고 견뎌내야 합니다. 매정이 가득한 사이. 어쩌면 엉엉 울어버려야 할지도 모르는 이야기. 우스갯소리로 넘기기에는 낯부끄러운 고백들. 차라리 장난감이 되어도 좋으니 그저, 그저. 이따금 생각이 나면 펼쳐보는 앨범마저도 빛바랜지 오래되었습니다. 보고 싶다는 말에 어찌 그리 많은 무정이 담겨있는지.

"우리 하루에 한 번, 칭찬을 해주기로 하자."

타인에게 나를 쏟아내느라 정작 나를 둘러볼 틈조차 주지 않은 우리의 일상. 자존감이 너무 낮다는 말에 더 이상 귀를 기울이지는 않게 되었으나. 조만간 다시 기력이 다 떨어진 채로 좀비가 되어 서울역에서 헤맬 수도 있다. 영영, 이라는 말은 이제 그만.

며칠 째 에어컨을 틀어놓고 잠이 들었다. 매 여름마다 감기를 앓았다. 올해는 무사히, 아무 일이 일어나지 않기를. 기도와 달리 따라주지 않는 나 자신이 항상 웃기다. 그래놓고 기도발이 떨어졌다며 신에게 항의를 하는 여러 해의 나라는 사람.

오로지 오롯이

오랜만에 가위에 눌렸다. 울지도 못하고 겁먹어버린 어린양이 있었다. 멈췄던 나와 알 수 없는 손들을 떠올렸다. 머리맡에 문을 두고 잠드는 버릇이 생겼다. 시원한 바람은 다리를 쐬었다. 여전히 감기를 달고 사냐는 너의 물음에 나는 고개를 끄덕였다. 건강을 묻기에는 조심스러운 날들 사이에서 우리는 조심스레 안부를 주고받았다.

나와 대화 한 번 제대로 해 본 적 없는 이들을 만났다. 첫 마디가 고작, 애인의 유무라니. 시답잖다. 주변인들은 내게 나와 인연이었던 이들의 새로운 소식을 원한다.

글쎄, 나 역시도 알지 못하는데도. 물어보면 무엇이라도 나올 것마냥, 그것이 일련의 유머라도 되는 듯이. 정작 우스워지는 건 나뿐이다.

관계가 변해간다. 홀로 옛 관계에 목을 매는 청승을 떨고 있다.

더 이상 엮이고 싶지 않은 이들의 연락처를 모두 지워버렸다. 수백의 전화번호부에서 과연 나는 몇이나 다정을 쏟고 있는지. 내내 알 수 없는 것투성이다. 사랑이라는 맹목적 이름 아래 그들에게서 나를 포용하고 있던 것들은 무엇일까.

당연하지 않음에 대해, 언제까지나 웃으며 넘길 수는 없는 노릇이다. 무지에서 비롯된 신념이 무섭다. 점점 두려워지고 있다. 나는 끊임없이 배우고 노력하고 싶다. 그마저 고이 접어둘까 봐 애석하다. 상대방에게 나를 설득하는 힘이 필요하다.

장난감이기를 자처하여 만났던 적이 여럿. 더 많은 만남이 주어져도 장난감은 결코 사람이 될 수 없다. 애당초 그 사실을 알고 있음에도 끓어오르는 연민과 약소한 애정. 한없이 어리석다.

나에게 자꾸만 무단 점거하는 이들이 늘었다. 아무리 금지 표지판을 세워두어도 눈 깜빡할 사이 좌판을 펴고 역대 최고 매출을 찍는 이상한 풍경. 향수병은 없냐며 쉬쉬하는 질문들에 쉬이 말을 삼키는 스물의 한낮. 일탈은커녕 일기에 적을 유쾌한 일화들만 기억해두는 나쁜 습관. 빚쟁이처럼 몰려오는 우울과 공허에 나는 또 다시 침대에 눕혀진다.

발끝에는 자물쇠가 닿는데요. 풀을 수 없어요.

술잔을 기울일 때는 아무 생각이 나지 않아서 좋더라, 까마득한 어린아이는 어느새 저런 말도 내뱉을 수 있는 겉멋쟁이가 되었다. 며칠을 울어야 다 울었다는 생각이 들까. 무심하게도 사람은 눈물을 영영 흘릴 수 있나보다. 생각만큼 나는 굳세지 않았다.

어쩌다 보니 어른이 되어버렸다

미루고 미루다 결국엔 마감을 앞둔 과제처럼 나이도 그렇게 하나둘 쌓여가기 시작하더니 결국에는 고작, 이라는 말을 아무렇지 않게 내뱉을 수 있는 어른이 되어버리고 말았다.

멋진 사람이 되고 싶은데 그건 너무나 거창한 꿈같고 그저 일기나 매일 쓰는 사람이 되고 싶다. 그러기 위해서는 내가 무언가를 기록하는 습관을 절실히 기를 필요가 있다.

그래서 일기쓰기를 다짐한 것이 몇 번. 또 작심삼일일지도 모르겠지만 다시 나를 믿어보기로 했다.

아무튼 간에 오늘도 모두들 좋은 하루 보냈으면 좋겠다.
나도.

사랑을 사랑이라 부르지 못할 때

너의 사랑은 모조리 진심이었을까. 네가 나의 전부로 알던 날들이 있다. 우리의 관계를 입 밖으로 꺼내지 못할 때에도. 그보다도 더 나은 사이를 원하고 있었을지 모른다.

안녕, 오아시스

인사하는 법을 잊은 지 오래다. 안녕, 아무도 모르게 내뱉어진 두 글자. 우리는 지나간 밤을 떠올리지 않기로 했다.

오아시스가 우릴 부른다. 아마도 거짓일 이야기.

나는 오늘도 오아시스가 되는 꿈을 꾼다.

꾸준하게 사진을 찍는 행위

최근에는 주로, 계속 사진을 찍으러 다니고 있다. 모델도 섭외해 개인 작업을 하고 있는데 재미와 별개로 내가 이 일을 계속 해도 되는지에 관한 의문이 자꾸만 든다.

취미라고 이야기할 수 있을 정도로의 수준도 되지 않아 자꾸만 나는 한없이 작아지기만 한다. 그럼에도 나는 계속해서 사진 작업을 하고 보정되지 않은 사진들은 점차 쌓여간다.

아마추어 습작가, 라는 빛 좋은 개살구가 나를 감싸주는 지금에 안주하고 있을지도.

'재능 있음'에 대한 안도감이 나를 꾸준하게 얽매고 있다.

내가 더 이상 앞으로 나아가지 못하도록.

뼈저리게 무심한 사람이 되는 법

나는 늘 다정한 사람이 되고 싶었다. 다정의 부재에 대해 아쉬운 마음이 가득했다. 그래서 타인의 넘치는 다정을 닮고자 했다. 닮고 싶은 다정이 넘치는 이들이 점점 주변에 많아지고 있다.

단호하게 거절하기. 모난 사람이 되지 않기. 어쩌면 계속해서 숙제로 남을 것들. 무심함이 감돈다면 다들 나를 떠나갈까. 걱정하는 것도 잠시.

나는 정이 많은 사람보다는 다정이 많은 사람이 되고 싶은데 생각보다 참 어렵다.

운동하는 사람으로 거듭나는 여러 시도

체중이 급격하게 증가했다. 스트레스를 받으면 나는, 폭식을 하거나 일을 무리하게 잡는 편인데 요즘 내내 그래왔다. 아무리 한 끼도 먹지 않는 날이 많더라도 음식을 끊을 수는 없다. 건강이 점차 나빠짐을 느낀다. 매달 꾸준히 헌혈을 하던 때가 그립다. 별 게 다 그립네.

시간 날 때 정신을 진료하러 가세요

나는 매사 긍정적이고 밝은 사람인 줄로만 알았는데 그게 어쩌면 만들어진 인격이라면? 무슨 라노벨 제목 같다. 자존감이 그리 낮은 편이 아니라고 해서 다행이었다. 다행이 아닌게 맞는지는 잘 모르겠 다만.

잠재력을 많이 가지고 있는 사람.

'인격 장애'에 대해 알게 되었다. 내가 그렇다는 건 아니고. 애정 결핍이랑 우울증이 문제인 것 같다고 말씀드렸는데 그리 크게 심각 하지 않다고 해서 수긍했다.

관계에 집착하는 문제는요?
- 그건 현대사회에 살아가는 모두가 가지고 있어요.

도피성 수면과 수면 도피가 동시에 닥칠 수도 있는지. 나날이 스트

레스가 쌓이는데 마땅히 정의하자면 슬럼프인 것 같기도 하다.

아무래도 일중독으로 살기에는 글렀다. 하지만 누구보다도 일할 때 너무나 행복한 사람으로 살고 있지. 하튼 상담을 통해서 내 자존감이 쌓여가는 느낌. 좋은 시간이었다.

정신과 요즘 호황이래. 다들 한 번 갔다 오세요.

폭식증이 나날이 심해져서 약 먹어야 하냐니까 항우울제가 치료제가 될 수도 있다네. 거듭해서 고민하고 있다.

무기력함의 근원지는 지지기반의 부재로 인해 벌어진 것이라니 홀로 버텨내더라도 지탱할 사람이 있다는 사실을 늘 깨달아야 한다.

바다가 보고 싶어

유영하는 내 기억들처럼 너도 함께 떠다니고 있다는 사실을 아니.

나는 간신히 오늘을 살아가는데 너는 내일을 계획하는 사람인 건 아니.

나는 그게 좋았어. 우리의 믿음이 견고해지기를 바라.

지금까지 나를 사랑해줘서 다들 고마워.

모두가 나를 마음에 들어하지는 않으니까

이 말에 대해서 꾸준하게 생각한다. 당연한 말인데도 자꾸만, 자꾸만 헛된 희망을 품는다.

단순한 사람인 줄 알았던 사람은 지나치게 복잡한 사람이었고, 사랑이 가득한 그 아이는 사랑을 주는 것에만 익숙하게 여겨왔던 아이였다.

나는 그 사실을 영영, 믿지 못하는 걸까.

어쩌면 계속된 소망으로 나를 더 다그치고 있는 게 아닐까.

고맙다는 말에는 가시가 걸려있다. 녹슨 낚싯대의 끝처럼.

언제든 쉽게 끊어낼 수 있는 관계

21세기는 너무 대단해. 나는 문명의 발전 앞에서 한없이 작아지고 만다. 내가 지금 연락을 하지 않는 애들이 몇이었더라. 셀 손가락이 부족해 발가락까지 동원해도 너무나도 많다.

나는 누구나 쉽게 내게 들이고 이미 떠난 이에 대한 이별을 잘 받아들이지 못하는 것 같다. 그저 한 발 들어왔을 뿐인데 나는 열 사람을 불러 모아 잔치를 여는 편이니.

내 생각을 하니, 하기는 했니. 물어보기에도 이제는 부끄럽다. 그래도 나는 아직 너를 많이 좋아해. 고백하는 짓도 다 부질없다.

좋은 사람으로 남고 싶은 걸까. 아님 좋은 사람이 되고 싶은 걸까. 알 수 없지만 그래도 나는 너를, 여전히 많이 아껴.

내가 사랑하는 이들은

나를 사랑해주고 있을까요?

꽃에 물 주는 일을 까먹은 적이 있었는데 그만 그게 오래되어 꽃이 다 시들어 버렸다. 나는 왜 그 꽃을 너만큼 사랑해주지 못했을까? 네가 나를 위해 그 꽃을 골랐다는 그 시간들마저도 소중하게 느껴졌는데.

우습다.

말뿐인 사랑인가. 이번 생에는 다정하긴 글렀다. 우러나오기가 글렀다.

새벽인데 전화를 왜 해?

미안. 그치만 네가 없으면 정말 죽어버릴 것만 같아.

나는 종종 부재를 느껴. 울지 않고 하루를 보내는 법을 알려줘.

일기를 어떻게 쓰는 걸까?
- 네가 쓰고 싶은 대로 쓰면 돼. 하루를 정리하는 차원에서.

내가 행복해도 돼? 일기 속에서는?
- 그럼, 안 될 게 뭐야.

너마저 없었다면 나는 정말 힘들었을지 몰라.
고마워.

보고 싶다는 말에는 어떤 의미가 있을까

나는 쉽게 관계를 정의내리고 헌신하는 편이다. 그건 늘 내게 독이 되었다. 그럼에도 나는 포기하지 못한다. 사랑한다고 이야기하는 것에 대해. 제발 그러지 말라는 친구의 말을 뒤로하고.

내가 사랑했던 무심한 관계 가운데, 나는 그저 지키고 싶다. 오늘을.

가난하지만 않게

내가 예술을 한다고 마음먹었을 때 가난한 예술가 타이틀이 너무 무서웠다. 가난은 누구보다도 싫어.

근데 내가 어떻게 하면 부자가 될까. 고민하다가 내가 할 수 있는 일을 해보자 생각했다. 그 결과, 하는 일이 너무 많아졌다. 정리하는 차원에서 내가 해왔던 일, 하고 있는 일들을 적어보려고 한다.

취업을 해야만 할지, 성공한 프리랜서로 얼른 살아남게 해주세요.

단잠보다 더 짙은

실은 내가 요즘 어떠한 말을 하고 있는가, 잘 모르는 경우가 더 많은 것 같다. 행복은 어디에서 오는가, 시시껄렁한 독백에도 굳이 대답할 이유는 없다. 아무도 웃지 않을 유머 따위를 던질 바에야 잠을 자는 게 낫다던 친구의 말도 이제는 받아들이기에는 글러먹었다. 일방적인 사랑에는 부작용이 있다. 유효기간을 따지는 사랑의 재질마저 속삭일 수 없게 되는 우스꽝스러운.

내가 졸업을 한다는 사실도 믿기지 않는데

이대로 영영 학생이었으면 좋겠다. 열심히 해도 그만큼의 성과가 나오지 않아 괴롭다고 말했더니 그건 네가 열심히 하지 않아서겠지, 라고 말해주는 이들이 있어 울고 싶다가도 이를 악물게 된다.

사실 어느 정도 맞는 것 같기도 하다. 과제가 너무 미흡해 교수님한테 꾸중을 들었다. 그렇다고 해서 내가 완벽하게 보완해서 다시금 과제를 제출할 수 있는가, 그럴 능력도 없다.

아이고, 한심해라.

나를 사랑하고 미워하는 일

어느 한쪽에 치우치지 않고 살아가야 함이 맞는데 나는 요즘 줄곧 나를 너무 미워하고 살아간다. 원망하지 않고 후회하지 않는 게 정말 이렇게나 인생에서 중요한 일이 될 줄은 몰랐다.

그저 어른이 되면 내 지난 고통들도 말끔히 사라지는 줄로만 알았다. 한 번 울기 시작하면 그치질 못하는 내가 종종 무섭다.

한정된 어휘에서 벗어나야 한다. 책을 읽는 취미를 기르자. 내가 찾아서 읽는 독서. 아무래도 나를 기록하는 날들이 조금은 더 많아져야 할 것 같다.

나, 라는 그저 그런 사람

우울감이 극도로 치닫고 있다. 정리되지 않은 집에서 간신히 몸을 뉘인 채 몇 날 며칠을 버텨내는 중이다. 좁은 침대에서 둥그렇게 웅크리고서는 겨우 잠이 들 수 있는 형태로 시간을 버려낸다.

아무개는 내게 제발 배부른 소리 좀 하지 말라고 했다. 지지기반이 전혀 없다. 걸음마를 떼듯 간신히 지탱하는 법을 익히는 중이라고 해도 과언이 아니다.

일주일 동안 서바이벌이라도 찍는지 상대를 여럿 바꿔가며 어디론가 떠났다. 이러한 관계 양상이 너무나 한심스럽다가 나름 만족하게 되는 일련의 마음이 우습다. 그러나 어디에도 사랑은 없다.

연락하지 않는 이들과 연락을 하고 연락하던 이들과 연락을 끊게 됨이 잦아졌다. 이상하다, 영영이고 연락할 것만 같았는데. 실망이 참 크다. 그것도 부질없음의 한 종류.

나를 사랑하고 미워하는 일. 내게 주어진 문제이자 숙제이다.

사랑한다면 잔말 말고

너한테 나는 어떠한 의미야?

나는 이 질문에 끝끝내 대답을 하지 못했다. 우리, 아니 나는 꽤나 잘 살고 있다고 믿는데, 여전히 균열들은 메꿔질 새 없이 자꾸만 벌어지고. 그 빌어먹을 관계에서 나는 널 사랑한다고 말할 수 있는지. 기다린다는 말을 지켜줄 수는 있는지. 웃기는 일들이 많아진다.

재미없어, 라고 내뱉는 게 익숙한 사람으로 살았다. 어쩌면 그게 나를 위한 최선의 방법일 것이라고 생각했다. 유희와 쾌락은 떼어낼 수조차 없게 따라다녔다. 그것이 과연 나를 위한 것일까. 일종의 방어 기제일까. 사랑은 점점 스며들고, 나는 발가벗는 사랑을 추앙하는 일이 잦아졌다. 대화란 무엇인가. 속삭이는 사랑만이 전부일 수는 없어요.

주워 담는 비밀은 결말이 이상해

야, 그렇다면 너의 비밀을 하나씩 이야기해도 될까. 네 비밀 그거 참 비싸게 팔리겠던데.

드라마에 나오는 저 역할, 너무 입이 가벼운 거 같아. '이건 말하지 말라고 했는데'로 시작하는 말은 언젠가 후회할 일이 올 테다.

시시콜콜.

쟤는 왜 저렇게 말이 많아? 얘기할 사람이 없나 보지.

우리네 비밀들은 죄다 전시해두고 살아가는 걸 알고 있니. 여전히 위태롭고 자해만이 가득한, 어쩌면 타인이 작위적이라고 힐난해도 오리무중이 되어버리는, 유영하는 실낱의 비밀들.

우리의 사랑은 떼었다 붙일 수 있는

우리의 사랑은 떼었다 붙일 수 있는 가벼운 존재가 되어버린 것 같아.
그래서 그게 뭐가 어때?

너는 나랑 밤을 나누고 싶은 거야. 사랑을 속삭이고 싶은 거야?

글쎄, 딱히 별 생각 없는데.
그건 나도 마찬가지이기는 해.

너는 그 마음이 여전해?
나는 아직도 나를 잘 믿지 못해.

자꾸만 연명하고 있는지도 모르지. 사랑이라는 이름 아래.

다락방

    당신과 함께하는 새벽을 입맞춤으로 정리할 수 있을까. 색깔은 누구에게서도 나지 않는 것이므로 당신의 색깔은 나였으면 좋겠다. 누군가가 정해 준 이름을 지고 가는 당신의 오늘은 참으로 어렵기만 해 나는 몰래 명렬표 이름을 문질러 우리의 이름을 새겨 넣어요. 당신은 정해지지 않는 매력을 가지고 있습니다. 만남을 가질 때마다 정의되지 않는 외줄타기를 하죠. 우린 음미해가는 밤을 보내야 해요. 그토록 달콤하게.

    나를 안아주었다가 밀쳤다가 달래주네요. 우리의 감정은 멈추지 않는 회전목마가 되어버립니다. 또 말도 없이 어디론가 사라져 버릴 건가요. 나의 모진 입 모양에 맞추어 당신은 그만 숨어 버렸습니다. 오늘의 제 할 일은 그저 술래 없는 숨바꼭질을 이어나가는 거 아닐까요. 우리의 관계는 아직 펼쳐지지 않았습니다.

    다들 미소로 치장한 당신을 보았으면 해요. 당신과 함께하는 새벽은 입맞춤으로 정리할 수 없을 것 같네요. 참으로 알 수 없는 인연이라는 돌팔이 타로사의 말도 우리의 마주한 눈과 입과 손과 그 어딘가를 막아내진 못합니다. 간지럽히던 그날의 장난도 어둠 밑에서 무도회장을 열었던 공주님의 착각도 모두의 아니, 우리의 열상이기를 비나이다. 오늘의 넋두리는 화사였음을 알리세요.

지긋지긋한 관계를 끊어내는 법

그래서 예원씨가 가장 놓지 못하는 관계는 무엇이에요?

- 제가 사랑했던 사람들이요. 아직도 여전히 아끼는.

아꼈던 사람들도 예원씨를 많이 아끼나요?

- 아니요. 딱히 그렇지는 않은 거 같아요.

연락이 끊긴 사람들도 다 담아두고 살아가나요?

- 네, 거의 그래요.

그 사람들도 예원씨를 끊어낸 것처럼 예원씨도 그 사람들을 끊어
내는 방법을 익혀야 해요. 할 수 있어요?

- 잘 모르겠어요.

예원씨가 생각하는 사랑은 무엇인가요?

- 단순히 연인에 대한 감정으로만 치부해서 정의내리고 싶지는

않아요. 제 영역에서 베풀 수 있는 다정의 한 종류가 아닐까요.

어떻게 다정과 사랑이 같은 선상에 있을 수 있을까요?
 - 보통의 사람들은 그렇다고 느끼지 않나요?

잘 먹고 잘 지내다 보니 벌써

나는 나를 여전히 미워해. 그렇게도 사랑하면서, 나 하나 사랑하지 못한다.

"내가 그렇게 못나고, 못돼먹었나요?"

너는 그렇게 생각하고, 나는 나대로 살아가면 되는 거 아니겠어. 자꾸만 네가 만들어놓은 틀에 나를 욱여넣는 일을 하지 말아 줘.

아무튼 간에 계속해서 시간은 흐르고 우리는 나이를 먹어 갈 테고 나는 언제까지고 열다섯 아이일 수는 없다.

누구에게나 예외가 되는 사람

저는 종종 그런 말을 듣습니다. 너한테만, 너라서, 너니까. 만난 지 오 분도 채 되지 않은 사람에게 오 년의 세월을 같이 겪은 친구가 되어주는 편이기에 그런 말을 듣는 걸까요?

그래서 저는 종종 묻습니다.

너는 내가 편해?
- 나는 그래.
- 그런 편이지?
- 편하니까 이런 얘기들도 하겠지?

하는 말들.

결국에 또 나는 온데간데없는데 나는 그것도 모르고 좋다고 웃어 넘기고는 합니다.

겨우 자가 격리 해제를 받고

내가 늘 실천하지 못하는 세 가지가 금주, 금연, 금욕. 요즘 우연찮게도 셋 다 잘 지키고 있다. 술을 마시지 않은 지 일주일이 더 됐다. 실은 당장이라도 달려가 뭐라도 좋으니 얼음 가득 담긴 잔을 기울이고 싶다. 그게 위스키면 더 좋고, 아무튼 그렇다.

누구에게나 관심을 쏟는 편이었는데 요즘은 나 하나 감당하기 벅차서 신경 쓸 겨를조차 없다.

"이러다가는 아무도 사랑하지 않을 것만 같아."
"근데 그건 너에게 말도 안 되는 일이잖아."

자고 싶거나 먹고 싶거나 하는 생각이 잘 들지 않는다. 하루 종일 잠도 자지 않고 아무것도 먹지 않다가 새벽이 되어서야 내가 한 끼도 챙겨먹지 않았다는 사실을 깨달았다. 겨우 하루 살기 위해 버텨내는 모양새가 그리 좋지는 않다.

그래서 궁금한 건

　너한테 나는 어떤 사람이었어? 라는 질문에 군대를 다녀와서 이야기해주겠다는 첫사랑의 답도 아니고, 매일 연락하던 이의 갑작스러운 두절이 익숙하게 느껴짐과 동시에 묻고 싶어지는 안부도 아니고. 그들이 나를 멀리하고 달갑지 않아함을 알고 있으면서도 쉽게 감정을 거두지 못하는 나였던 것이다.

실은 나는 다 알고 있는지도 몰라

우리가 다시는 같은 카테고리에 묶이지 않을 거라는 것도. 주고
받는 대화 속에 어떠한 다정이 깃들지 않을 거라는 것도. 그럼에도
나는 또 기회를 엿본답시고 우스꽝스러운 말만 내뱉는 상황들이
무척이나 허무하다. 어쩌면 그 관계들이 몽땅 없던 것처럼 끊어
버리면 참 좋을 텐데, 그렇지?

그러게요. 저, 슬럼프인가 봅니다.

마음대로 하며 살겠다는 다짐과는 별개로 무엇이든 못하고 있는 날들이 쌓여간다. 친구는, (그 아이를 친구라고 불러도 될 지는 모르겠으나) 내가 너무 게으르다고 말한다.

제가 너무 게을러서 할 일을 미루시는 걸로 보이셨다면 정답입니다. 저, 그런 사람 맞습니다.

겨우 고시원에서 벗어났더니 조금 더 커진 침대에서 발을 뗄 생각을 하지 않는다. 끊임없이 비교하는 눈길들은 아무런지지 없이 무너뜨리고, 아무렇게나 내팽개친 옷가지 마냥 우선순위를 잃은 채 갈팡질팡.

집에서 잃어버린 물건들은 아무리 찾아도 보이지 않는다. 엉엉 울고 발을 동동 구르고 나서야 비로소 보일까 말까. 시작도 못하고 지체되어 있는. 미련을 구토하듯 게워내야 조만간이라는 단어도 쓸 수 있는 겁니다.

우스갯소리로 뱉는 넋두리

울지 않는 대신 화도 내지 않게 되었다. 감정을 내세울만한 상황 자체가 생기지 않았다가 나를 자꾸만 긁는 아무개. 이 사람은 내가 화를 내는 법을 모른다고 생각하나? 아무리 나를 우습게보았다고 해도 말이지…….

우리의 밤과 새벽은 글쎄로 끝나

너는 내게 울며 말했다. 우리는, 어떤 밤을 보내고 어떤 새벽을 맞이해야 하는 걸까? 나는 아무런 대답을 하지 못했다. 그러다, 글쎄. 라고 이야기했다.

나는 너의 일기가 좋아. 나는 일기를 쓰지 않거든.

내가 무어라 말을 하기도 전에 친구가 허밍을 했다. 나는 그 노래가 너무 좋아서 물어봤다. 친구는, 글쎄. 라고 이야기했다.

우리의 대화는 이어지지가 않네.
- 그래도 꽤나 행복하잖아, 맞지?

그건 그래.
- 그럼 됐어.

예원에게

안녕, 반가워.

어른이 된다는 건 어떤 기분이야? 나는 빨리 어른이 되고 싶어.
선생님이 나보고 10년 뒤 나에게 편지를 쓰래. 나는 멋있는 사람이
될 거야. 내 약속을 꼬옥 지켜줘.

필요하다면 가끔은 울어도 된대. 그래도 행복한 어른이 되는 것도
나쁘지 않은 거 같아. 내가 아는 어른은 매일 우는 걸. 나는 네가
행복하기를 누구보다도 원해. 소원으로 빌게.

사랑해, 잘 자.
나도 이만 잘게.

안녕.

오늘은 종일 울었어, 엉엉

간신히 안부를 주고받는 이들이 내게 가장 소중한 사람들일 수 있다, 깨달을 때가 있다. 안타깝기도 하지.

나 오늘 네가 꿈에 나왔어, 라는 말이 어쩌면 불필요한 얘기였음을 이미 나는, 알고 있었을지도 모른다. 답장이 오지 않을 관계임을 느끼면서도 계속해서 답장을 기다리고 있다.

나는 너무 무식하다. 지나치게 사랑하고, 사소한 무언가를 오래 간직한다.

너, 실연이 그렇게 충격이었어? 이별의 후유증이 꽤나 짙구나. 내가 말하는 사랑은 오로지 연애가 아닌데. 몇 번을 말해도 대화가 되지 않기에.

우습네요. 이 늦은 밤에 중얼거리는 한탄들이.

야 너는 별도 달도 따준다는 말을 믿냐?

- 응 왜?

그걸 아직도 믿냐.
- 따줄 수도 있지.

바보 그걸 어떻게 따줘
- 네가 별이나 달이 되면 되겠네. 그리고 나한테 와.

너는 이런 말 어디서 배워 와?
- 너는 별도 달도 되어줄 수 있는 사람이야.

촌스러운 게 좋아

시장에서 파는 오천원짜리 꽃무늬 원피스를 잠옷으로 입고 있다. 파마 구루프를 말고 있는 사람들이 가득한, 팥죽색 벽지의 미용실을 자주 간다. 엄마가 나보고 임부복인 줄 알았다던, 큰옷들이 너무 좋다.

촌스럽다와 센스있다는 말을 선택해서 들을 수 있는 그런·내가 너무 재밌다.

여전히 나는 촌스럽고.

값비싼 메이커 브랜드의 이름을 정확히 몰라 스펠링을 찾아보는 내가 우습지만, 그래도 나는

즐거워.

우린 열정이 충만한 어른으로 남으려 노력해요

내가 사라져볼게 얍, 얍, 얍!

야 너 내 말 들려?
듣고 있으면 말 좀 해 봐.
죽으란대서 진짜 죽는 법이 어딨어.

/

황망하다.

나는, 나는, 나는.
이제 더 이상 울 수도 없어.

여름만을 기다렸어요

제가 보고 싶어 한다는 사실을 아시나요. 사랑한다는 말에는 얼마나 많은 다정이 숨어있는지도요. 제가 유일하게 갖지 못한 그 다정이 오로지 당신에게만.

실은 도망 다니고 있어요. 내비치기 부끄러운 마음들을 이고지고. 그럼에도 아무런 관심을 기울이지 않는다는 걸 잘 알고 있답니다.

당신이 없는 올해 여름이란, 내게는 상상도 못하는 범주였는데 어쩌다 보니 벌써 여름이 되었네요. 이 또한 내 불찰일까요.

연모와 흠모는 무엇이 다를까요? 동경과 사랑은? 다정과 애정은? 당신과 나는?

선생님, 보고 싶어, 라는 말에도 아무렇지도 않은 이들은 제가 보고 싶지 않은 거겠죠? 그래도 저는 보고 싶어요. 보고 싶다고 말할래요.

- 마음대로 하세요. 예원 씨가 하기 나름이에요.

네가 지키고 싶은 건 뭐야?

알량한 네 자존심이 그리 지키고 싶어? 변변찮은 네 실력이? 과대평가되는 네 인간관계가? 문득 그런 생각이 들었다. 내가 왜 이런 말을 들어야 돼? 나는 칭찬이 쉬운 사람인데, 말마따나 웃음이 헤픈 사람인데 그게 너한테는 폐가 되나? 하는 생각이 들었다.

죽고 싶으면 너 혼자 죽어, 라는 말에 얼마나 많은 화살들이 담겨 있는 걸, 얘는. 정말 모르나? 나는 겨우 살 수 있을 만큼 자고, 어쩌다 생각나면 밥을 먹는다. 내가 선택한 삶에, 이따금씩 행복한 내 삶에 혹시 너, 불만 있어?

내가 그들마저 포용하고 넘어가야 하는가? 단지 친구라는 이유만으로. 솔직한 게 아니라 무례한 걸 전혀 모르겠다면 차라리 너가 죽어.

그치만 너도 그건 알지? 나는 너처럼 누구를 미워할 만큼, 또 그 미움을 되돌려 받을 만큼 강하지는 않아.

나는 내가 살아가는 동안 모든 걸 사랑하다 가고 싶어.

그게 나를 미워하는 너라도.

나는 그렇게 살아왔어.

사공이 없는 배를 타고 간다.

나는 그 배를 몰아본 적도 없는데.

집에 가고 싶어.

- 집인데도?

일을 하고 싶어.

- 하루 종일 한 게 일이잖아.

술 마시고 싶어.

- 스스로 절제하고 있잖아.

연애를 하고 싶어.

- 연애는 이제 쉬겠다고 한 사람이 누구더라…

편지를 쓰고 싶어.

- 누구한테?

보고 싶어.

-

다들 사랑하지 못해 안달난 사람처럼

친구가 나보고 자꾸 사랑 타령하지 말라며 사랑 전도사냐고 물었다. 사랑 전도사, 하니 예전에 개그 프로그램에서 보았던 행복 전도사가 생각이 나지만 아무튼.

나는 타인을 사랑하기에는 나조차 사랑하지 못해 버겁다고 말했다. 그전까지는 타인을 사랑하는 내 모습을 올바른 방식인 줄로만 알았다.

끊임없이 사랑을 확인하는데도 불구하고 불안하지 않게 만들어 준다던 애가 한 트럭은 있었어, 얘!

나의 시시껄렁한 유머에 친구가 소리 내어 웃었다.

결핍된 사랑에 대해 답을 구할 새 없이 함구하고. 어쩌다 한 번 내 이야기를 들어주는 사람을 만나면 길 잃은 개처럼 꼬리를 반기는 꼴이 퍽이나 우스웠다.

더 우스운 건, 이러한 대화.

"연애를 쉬겠다고?

"응."

"부럽다, 연애라는 게 쉴 수도 있는 거구나…."

나는 사랑하고 싶댔지, 그게 너는 아니고. 나일 리는 더더욱 없고 겨우 살아가는 하루면 더 좋다.

근데 그게 사랑이에요? 그럴 수도 있고, 아닐 수도 있고.

부재가 해결된다면 정말 외로움은 해소될 거라 생각하는지. 빈자리를 채운다고 사람이 바뀌나요?

그럼에도 여전히 나는 살아있어

뭘 잘했길래 이렇게 나이를 먹은 걸까요.

우리는 배를 타고

강가로 내몰면 오리는 운다고 했다. 우리는 우는 법을 몰라서 가만히 떠다녔다. 발끝을 잃으면 아침이 올지 모른다. 이제는 물기 젖은 푸념이 되었다. 강가에는 누군가 버렸던 탄식들이 가득하고. 먼 선(船)을 바라보는 대신 물에 빠져 길을 잊기로 했다.

바다로 향하자, 끝이 보이지 않는

.

종일 말을 더듬거렸다. 무엇이든지 급하게 하려고 하면 체하기 마련이다. 자꾸만 벌컥 들이켜는 물을 차치하고서라도 끊임없이 나오는 말을 이따금 삼킬 필요가 있었는데 그러질 못했다. 침을 겨우 삼켜 다시금 말을 내뱉는 꼴이 서바이벌 프로그램에서 가사를 절어버린 래퍼 같다. 그러고 보니 랩을 연습했는데 들려줄 사람이 없다.

자, 우리 기도합시다. 불결한 행위에 대해 사랑이라고 정의하는 모든 사탄에 대해.
- 그거 아시죠? 저 기도를 끊은지 꽤 오래되었는데요.

친구가 생일을 맞이했다. 친구라고 말할 수 있을까? 스스로 질문이 들지만 그래도 챙기고 싶은 일말의 마음이 나를 계속 괴롭혔다. 내가 보낸 선물은 왜 SNS에 안 올라오지? 내가 창피한 걸까? 나를 싫어하는 사람들에게 마음을 접는 법을 잘 모르겠다. 연락을 끊어내는 법도. 아직 인간관계는 너무 어렵다.

.

나는 누구에게 친구로 존재할까요?

천장에 야광별을 붙이고 싶다. 그렇지만 여기는 우리집이 아니라 약간의 고민이 필요하다. 나는 이 좁은 고시원 방에서 낭만 없이 살아간다. 밥 먹듯 이야기하는 소원은, 올해가 가기 전에 이사 가게 해주세요. 그러기 위해서는 끊임없이 일을 해야 돼.

나는 어떤 사람으로 평가되고 있을까? 어떻게 내게 들려오는 비난을 무시하며 살아가는 거지? 남에게 휘둘리지 않고 사는 법은 없을까?

일기장에 써놓고 한동안 맴돌았던, 요즘도 계속 맴도는 말.
: 사공이 없는 배를 타고 간다. 나는 배를 몰아본 적도 없는데.

또 눈썹에 피어싱을 했다. 술을 진탕 먹고 빠져버려서 뚫은 곳에 다시 뚫어버렸더니 피가 며칠 간 계속 날 것이라고 했다. 밤새 흐르는 피를 닦다가 잠들었다. 핏물이 가득한 생고기들과 발가 벗겨진 내가 같이 갈고리에 걸려있는 꿈을 꿨다. 아무래도 하루라도 빨리 채식을 시작하라는 신의 계시가 분명하다. 초밥 뷔페에 갔다가 비건 샴푸를 사는 그런 멍청한 짓 말고. 곧 천벌을 받을지 몰라.

이제 낮술은 익숙한 영역이 되어버렸다. 술자리가 재미없어 지기는 또 처음. 여행을 가고 싶어. 혼자서, 라는 말에 '퍽이나'라고 말하는 우스꽝스러운 친구가 있어서 나는 또 하루를 살아갈 수가 있다. 친구가 내게 물었다.

"여전히 금주, 금연, 금욕을 하고 계시는지요."

"글쎄요."

장난감이기를 자처하여 만났던 적이 여럿. 더 많은 만남이 주어져도 장난감은 결코 사람이 될 수 없다. 애당초 그 사실을 알고 있음에도 끓어오르는 연민과 약소한 애정. 한없이 어리석다. 더 이상의 장난감 가게는 없어.

정작 내 연락을 봐야 할 사람은 보지 않고, 이상한 사람들이 꼬인다. 내가 오늘 무얼 했는지 전혀 궁금하지도 않았으면서 뭐해, 라고 묻는 작자들이 있다. 그들은 나랑 사랑을 하고 싶은 건지, 사랑을 나누고 싶은 건지 내가 답장을 보낼 때까지 영영 알 수는 없지만, 단순히 둘러댈 핑계를 여전히 찾지 못했다.

"너는 여전히 그 아이를 사랑해?"

살아가다 보니 아무것도 아닌 것들 속에서

아무래도 지금껏 잘못 살아왔다는 생각이 든다. 존재에 대한 물음을 끊임없이 반복한다. 나는 어쩌면 답을 알고 있는지도 모른다. 또 버텨낼 뿐. 되는 일이 하나도 없다.

자정이 넘었는데 한 끼도 먹지 않았다. 아무도 내게 묻지 않는다. 밥은 먹었어? 알고 있다. 결국에 그 질문을 해야 할 사람 역시 나라는 것을. 새벽 여섯 시가 되었는데 일기를 쓰는 꼴이 참 웃기다. 자기 전에 쓰겠다고 마음먹었으니 잘 지키고 있는 것이기도 하다.

별 볼 일 없는 사람에게 한참을 매달리고 있었다는 사실을 깨달았다. 딱히 별 생각 없다. 그저 부재를 해소하기 위함이었을지도 모른다. 사랑이고 나발이고 이제는 아무것도 모르겠다. 우스꽝스럽다. 자꾸만 나한테 헛바람을 불어넣는 이들이 있다. 그건 정말 좋지 않은 행동이야.
"너한테 나는 사람도 아니지?"

"내가 네 인생에 대체 못 해준 게 뭐야?"

"나는 네가 너무 창피해. 부끄럽다는 사실을 넌 아니?"

"네 인생을 살아. 자꾸만 얹혀서 가려 하지 말고."

도저히 자신의 잘못이 없다는 사람과의 대화는 너무나도 지독하다. 나는 할 수 있는 대답이 별로 없다. 주어진 선택지에 맞춰서 한정되어 있는 대답 가운데 골라야 한다. 단, 무엇을 고르든 질타를 받는 건 여전하다.

시간이 날 때는 다들 정신을 진료 받으세요. 이래놓고 정작 난 병원에 가지 않은 지 오래되었다.

재능이 있는 자신에 안주하고 있는 상태에 대해 생각한다. 나는 모든 분야를 어느 정도 할 뿐인데 그게 무척이나 괴롭다. 일주일 살 수는 있어도 한 달 살기는 어렵고, 일 년은 더더욱 어렵다. 그 사실이 자꾸만 나를 옭아맨다.

옛날에는 엉엉 울기라도 했는데 요즘은 울고 싶지도 않다. 자고 싶지도 먹고 싶지도 않다. 별개로 나는 먹기도 하고, 자기도 하고, 울기도 한다. 그럼에도 내가 들을 수 있는 말은, 넌 행복하잖아. 글쎄, 너는 행복의 의미를 잘 모르는구나.

타인의 평가에 내가 왜 휘둘려야 하는가? 그들의 시선에 왜 내가 움츠려야 하는가?

졸업을 미루기로 했다. 나는 공부도 그리 열심히 하지 않는다. 나는 내가 하고 싶은 걸 하며 살고 싶은데 세상이 날 자꾸만 방해한다. 신이 참 야속하다는 생각을 해. 손목에 세례명을 새겼지만 염주를 차고 다니는 나를 본다. 이따금 교회에서의 추억을 헤집는다. 아, 어떠한 신도 나를 돌보고 있지 않다. 모독과 모욕에서 나는 티끌만한 존재가 되어버린다. 그럼에도 하는 식전기도. 꼭 듣는 핀잔 한 마디. 넌 진짜 알 수 없는 사람이구나.

포트폴리오를 정리하고, 이력서를 써요.

내가 선택하지 않은 나의 삶도 내가 책임을 지며 살아야 하는 게 가혹한 것 같다. 모두가 그렇게 살고 있지만. 내가 이렇게 나이를 계속해서 먹어갈 줄은 전혀 생각을 못했는데 어찌저찌 잘 살아냈다. 지지기반 하나 없이 내내 나라는 사람을 미워하면서. 도저히 원망할 수 없는 사람들을 보듬으며 살아왔다. 내가 이렇게 아등바등 사는 걸 나만 안다. 나만, 나만. 원래 모두가 다 이런 걸까?

나는 너의 행복을 빌어주고 싶어.

구태여 긁어 부스럼을 만드는

돼지우리에 살고 있는 기분이 든다. 아마 돼지가 나보다 깨끗할 거 같다. 한 평도 안 되는 이 좁은 방에서 정리정돈을 운운하는 내가 참 게으르지만 어쩔 수 없다. 옷이 답지 않게 많다. 미니멀리즘은 고사 하더라도 잘 수 있는 공간은 마련이 되어있어야 하는 거 아닐까? 겨우 새우잠 취할 수 있는 공간이 전부다. 이건 정말 문제가 다분하다. 내일이 오기 전에 꼭 치워야지, 해놓고 새벽에 퇴근하는 사람.

친해지고 싶은 사람이 있다. 근데 그 사람은 나에 대해 별 관심이 없다고 느낄 때 내가 행할 수 있는 여러 가지 방법들에 대해 한참을 고민하다가 말았다. 친해지고 싶은 건 단순히 우정의 일부인지 동경의 일부인지 다정의 일부인지 전혀 알 수가 없었기 때문이다. 감정을 어떻게 택하느냐에 따라 내뱉을 말이 천차만별 달라지니까 특히 나는, 더욱 더 조심해야 한다.

나는 주변인에게 선물을 꽤나 잘하는 편이다. 그렇지, 내가 그

유명한 퍼주는 성격의 소유자이지. 근데 정작 나에게 선물을 할 때에는 무척이나 궁색해진다. 참 웃기지, 결국에 나와 평생을 함께하는 건 나일뿐일 텐데. 그 선물들과 그 사람들은 내가 연락도 닿지 못하는 어딘가에서 아주 잘 살고 있을 테다. 후회되냐고요? 전혀.

일을 하고 싶다. 취직을 하고 싶다. 출근을 하고 싶다. 이 좁은 집구석 말고. 돈 쓰는 거 말고 버는 거를 하고 싶다. 우울증이 나날이 심해져 간다. 억지로 먹은 끼니를 몽땅 게워내는 끔찍한 세태. 혹은 평생 한 끼도 먹어 본 적 없는 사람처럼 몇 그릇씩 비워내는 미련한 머저리가 되어버린다. 이러한 상황에서 나는 극명히 갈린 두 사람의 각기 다른 반응을 얻게 되었는데 이게 참 우습다.
"억지로 나가서 산책이라도 해. 앞으로 너 산책 나가는 모습, 사진이라도 찍어서 보내."
"근데 예원아, 너희 집 그렇게 가난해? 네 방에서 바다가 보인다고 하지 않았어?"

보내 놓은 이력서들을 보고 자꾸만 연락이 온다. 따져보는 조건. 월 200은 받았으면 좋겠고요. 출퇴근은 버스든 지하철이든 상관은 없지만 한 시간 이내로 갈 수 있었으면 좋겠고요. 제가 피어싱이 있든 양팔에 가득 타투가 있든 제 성실함 하나만 봐주셨으면 좋겠고요. (근데 별로 성실하지는 않습니다, 와 같은 말은 당연히 하지 않는다.) 저는 싹싹하고 (가끔은 싹수가 없을 수도 있어요.) (답답하다는 말을 종종 듣고는 하지만) 융통성 넘치는 젊은 청년입니다. 시켜주시는 일 뭐든 할 수 있어요. (제가 할 수 있는 선에서요.)

오랜만에 연기 수업을 들었다. 첫 수업에서는 분명 감정이 과잉되었다고 많이 혼났는데, 이번 수업에서는 무슨 일 있냐며 감정이 지나치게 담백하다며 혼났다. 그때 문득 드는 의문. 나는 이 연기를 배워서 대체 어디에 쓸 요량인가. 연기에 뜻이 있는 것도 아닌데. 연극 무대 한 번 서보겠다고 아등바등 버티는 것도 아닌데. 내 것이 아닌 감정을 내 것인 마냥. 내가 배워야 하는 건 연기가 아니라, 어떻게 극을 만들어 낼 수 있는가에 대한 희곡 쓰기 수업이나 시나리오 작법 같은 게 아닐까? 어쩌면 한 맥락이었을 질문들에 꼬리를 물다가 들리는 박수소리. 모두 수고하셨습니다.

일을 한다. 돈을 쓴다. 돈을 쓴다. 돈을 쓴다. 돈을 쓴다. 일했던 돈이 이제야 입금된다. 이러한 형태로 삶을 살아가는 중이다. 나는 술을 너무 좋아하고, 겉멋에다가 허세도 부리고, 먹고 싶은 것도 많고, 하고 싶은 일도 많고, 돈 관리는 누구보다도 못한다. 이사도 가야하고, 뭐 할 게 이렇게나 많네.

여전히 저는 괴짜와 또라이 사이에서 줄타기를 하는 중입니다.

평범함은 언제나 닿지 못할 영역이었습니다. 늘 그렇듯 저는 괴짜나 또라이로 사는 게 편할지도요. 만약 저와 같은 고민을 하고 계신 다면 저처럼 평범함을 이상화하지 마시고, 언젠가 올 수도 있을 손님처럼 대하세요. 그러면 그 손님을 위해 방도 치우고, 사람들이랑 잘 어울리고, 나도 어느 정도 가꿀 수 있지 않을까요. 약속이 정해져 있지 않아 불쑥 찾아올 수도 있는 손님맞이를 위해.

울고 불며 매달릴 때도 있었는데 세상은 무심하게 또 새로운 사람을 내 앞에 데려다 놓는다. 잔인함과 익숙함, 둘 중에 무엇 일까. 사랑한다는 말을 뱉지 못해 답답했었는데 언제 이렇게 사랑 맹신론자가 되어버리고, 사랑에 간과 쓸개도 내어줄 수 있는 사람이 되었는지 알다가도 모를 일이다. 그 사랑은 본연, 연인에 한정된 것은 아니다.

쓰다 보니 말이 길어졌다.

다들,
잘 먹고 잘 살어라.

정신없이 보내다 보니 일주일이 흘렀어요

저는 참 다양한 일을 했었고, 하고 있습니다. 나는 무엇 하나 뛰어나게 하지 못해 어느 분야에서도 인정받지 못했구나, 생각했어요. 그렇지만 그게 중요할까? 라는 질문이 떠오르더라고요. 와중에 지인에게 들은 한 마디. "너는 이제 겨우 스물을 겨우 넘었는 걸." 언제까지고 그 말을 들을 수는 없겠지만, 어찌되었건!

여러분이 하고 있는 일이 무엇이든 간에 지금의 내가 할 수 있는 가장 멋진 일이라고 믿어요. 어차피 지금은 영영이고 돌아오지 않으니 우리, 그렇게 생각합시다!

요즘은 다들 어떻게 지내시나요.

저는 한동안 술독에 빠져 잠도, 끼니도 챙기지 못하며 계속 일만 해대는 멍청이로 살았는데요. 그게 좀 재밌더라고요. 얼른 돈을 벌어서 더 비싼 술독을 장만해야 될 거 같아요.

사랑하든 미워하든 간에 여러분의 마음을 솔직하게 내뱉을 수 있는, 아니 솔직한 마음을 서둘러 깨닫는 사람이 되기를 바랍니다. 안 그러셔도 되지만요.

　　모두 부자 되세요.
　　그럼 안녕.

신기하게도 나는 아직

안녕하세요. 바쁘게 살다가 이제야 글을 씁니다. 제 안부 궁금하실 리는 없겠지만 그래도 시간이 생겨 써봅니다. 야간 아르바이트를 하는 중입니다. 네 시에 끝날 거였는데 연장 근무한답시고 여섯 시 퇴근을 자처했어요.

기쁜 소식. 취업을 하게 되었습니다. 면접을 다섯 군데 정도 봤는데 다행히도 원하던 회사에 합격 소식을 받았어요. 이제 쉬는 날이 주말밖에 없다니 정말 직장인 같습니다만… 네 뭐 그렇네요.

아직 첫 출근을 하지 않은 백수 상태입니다. 벌여놓은 일이 너무 많습니다. 차근차근 정리해가야 할 것 같아요. 어제는 집을 치웠습니다. 놀라운 일이에요. 술을 자제하고 약도 챙겨먹고 매일 한 끼라도 챙겨먹고 운동도 했어요.

다들 건강하세요.

돛대를 남겨두고 사는 삶

돛대를 남겨두는 행위. 우리는 그걸 최후의 보루라고 부르기로 했어요. 우습지요.

나는 더 이상 사랑을 하지 않기로 맹세했어요. 정말 이상하지요.

금주와 금연, 금욕 사이에서 포기할 수 있는 한 가지를 고르라면, 당신의 선택은?

요즘 계속 되새기는 말. 네가 나를 미워하든 간에 나는 행복해.

멍청하게도 나는 여전히 모두를 사랑해요.

이따금 혀를 깨무는 밤이 오면 가위를 눌리지 않게 해달라고 비는 대신, 편안하고 평안한 밤을 빌어요. 그게 내가 할 수 있는 유일한 방패일지도 몰라.

서운함을 갖지 않기로 했어요. 고작이라는 단어에 떠밀어버리기.
애석하게.

아침이 오면 웃으며 만나요.

더 이상 버릴 마음들도, 유서들도 더는 없어요.

우리, 오래오래 보자고요.
죽지 않고 오래오래.

그런 말이 하고 싶었어요.

보고 싶어의 의미와 사랑해라는 이상한 말

보고 싶다는 말에는 어떤 의미가 있을까, 라는 생각을 줄곧 하는데 결국에는 매번 답을 찾지 못했다.

전화를 하다가 말고 펑펑 울었다.

글쎄, 왜?
- 나도 모르겠어.

너무 좋아하는 것과 별개로 해내지 못하는 것들이 자꾸만 늘어난다.
세상이 나를 너무 질투해.

어른이 된 걸까. 이미 넌 어른이야ㅡ, 라는 말에 비웃을 정신이 다 있고 어쩌면 아직도 아이에 머물러있는 나에게 여지가 남은 건지.

아무나 나를 좀 안아 줘.

- 실없는 소리 할 거면 그냥 자.

뒤죽박죽. 무엇이 나를 이토록 우스꽝스럽게 만들어버리는지 참 궁금하다가도.

사랑해라는 말이 대체 무슨 의미가 있어?

- 너를 사랑한다는 뜻이 있지.

그래, 너는 원래 그런 애였구나. 나는 오늘도 잔뜩 서운하고. 어김없이 새로운 사람들과 감정들이 나를 오갈 뿐이다.

진료를 회피하고 약을 복용하지 않는

끝없는 우울과 공허는 본연 무기력감에서 태어난 것일까. 사랑과 증오 어디쯤에 위치해야 조율을 잘 해내는 사람으로 거듭나는 것일까. 울어야만 극복할 수 있는 일련의 감정들은 잘못으로부터 지속된 것일까. 내뱉는 어조들이 나를 괴롭히는

나의 일탈이 당신에게 사랑이었다면

일탈이라 핑계되는 게 어쩜 그리 영악한지, 나는 알다가도 모를. 글쎄, 내 사랑은 일련의 복용과도 같아서. 한 번 삼켜버리면 말, 그저 녹아버리는 알약같이.

삼켜버린 사랑들과 함께 덮은 비밀들이, 달콤한가요? 비밀이라고 이야기할 수도 없이 너무나도 약소한 애정이라 우스운가요? 그래도 우리에게 사랑이 있었을까, 그것도 사랑이라고 부를 수 있을까?

나는 어쩌다 한 번 너에게 찾아가 사랑한다는 말을 내뱉고, 만남의 방식이 그것뿐이라는 듯이. 한바탕 울고 불며 술을 진탕 마시고.
우리는 그날 접어버린 사랑을 다신 이야기하지 않기로 했다. 비겁하게도 짝이 없지.

인사를 합시다

그간 저를 아껴주신 모든 분께 감사의 인사를 전합니다. 다시금 살아낼 의지를 다지는 중이에요. 일은 더 많이 하고 싶고 돈은 벌 수 있을 만큼 더 벌고 싶어요. 그래서 사랑했던 당신들에게 조금이나마 감사 인사를 하고 싶습니다. 여전히 행복하다고 말할 수는 없겠지만 우리의 내일을 기꺼이 빌어요.

사랑한다는 이야기를 해볼까요

사실 그건 별로 중요치 않지. 왜냐면 나는 모두를 사랑하니까. 내 사랑을 너는 투기라고 생각하니?

술에 취했는지 취하고 싶었는지 가끔은 나도 모르게 혼미한 밤을 보내요.

너는 문득 내 생각을 할까. 종종 유치해질 때가 있어.

너의 그 다정을 닮고 싶어. 나는 그 다정을 사랑해.

솔직히 말하면 나는 사랑을 하는 내 모습이 좋아. 그게 네가 아니어도 나는 늘 사랑을 해. 아, 이런 말은 하지 말 걸 그랬나.

닳아버린 사랑을 있는 힘껏 뱉어내는데 자꾸만 켁켁대며 낡은 사랑은 맥없이 흩어진다.

여운으로 남길 바라. 그건 너무 무리한 부탁일까. 더 무리한 부탁은 나를 좋아해달라는 말이지.

내 불면은 너무 옹졸해서 일찍 잠드는 이들에게 잔뜩이나 서운함을 느끼고. 그러다 엉엉 울어버리는 새벽을 끌어안고.
고작, 나 원래 이런 애였지. 읊조리는 나날들이 점점 무뎌져 간다. 무너져 가고 있다.

사랑하는 사람들에게 다정을 베푸는 건 어렵지 않지

시시껄렁한 안부를 전하러 왔어요. 유달리 이른 출근길에 적어봅니다.

영영이고 친구로 남을 줄 알았던 이들과 기꺼이 연락을 취하지 않아버리고 마는 일들이 잦아졌습니다.

미워하기에는 아까울 것만 같던 그 아이를 떠올리며 더 이상 울며 지새우는 밤이 사라졌어요.

연애를 이제 그만두겠다던 어린양은 또 다시 새로운 사람을 만나고 있습니다. 우습지요?

우스운 하루들이 쌓여 일주일이 되는 것 아닐까? 이러다 일년을 맞이한다면 얼마나 끔찍할까요. 아직은 잘 모르겠어요.

인생이 왜 이래, 제가 요즘 잘 뱉는 말이자 유행어라고 불리우는 문장입니다.

이따금 드는 생각은 그렇습니다. 나를 이렇게나 아끼는 사람들이 많은데 그동안 나는 왜 공허와 고독 속에서 싸워왔나. 당장 힘들다는 이야기 한 마디에 같이 울어줄 이들이 어찌나 많은지. 좋은 사람들이 잔뜩 들이닥쳐 과분한 사랑을 받고 있습니다.

시간을 쪼갤 틈도 없이 바쁘게 일을 하며 지내요. 와중에 왜 자꾸 일이 들어오는지. 내가 열 명이었으면 바랐을 정도로 정신없이 보내고 있습니다.

으슬으슬
욱씬욱씬
어질어질

무더운 여름에 난데없는 고통이라니.

술을 끊어야겠다, 마음먹으면 꼭 약속을 잡는 친구들. 야속하게도 그 시간들이 너무나도 소중해서 못 이기는 척 나가고는 합니다.
역시 사람은 새로운 환경에 놓여져야 삶의 일정부분 변화가 생긴다는 것을 절실히 느끼고 있어요.

저는 병원을 잘 가지 않는데요. 그럼에도 약은 챙겨먹어요. 건강검진도 다녀오고 진료도 받으러 가야하는데 왜 이렇게 무서울까요. 알지 못하는 큰 병이 내게 있을까 봐 전전긍긍합니다. 이래놓고 병원 예약을 늘 다음으로 미루는 인간이 저라는 사실을…

모두가 무탈하기를 매일이고 기도합니다.

사랑으로 말미암아

모두에게, 나를 사랑하는, 나를 미워하는, 나를 알지 못하는, 정말 모두에게 행복이 곁에 머물기를.

그럼 또,
만나요.

가까이에 있는 행복을 담보로 연명하는 사람이 있어요

나는 왜 늘 행복하지 않을까요?

어째서 불안한 삶을 안정하다고 믿는 걸까요.

언제쯤이면 홀로 지내도 멍청해지지 않을까요.

행복을 눈앞에 두고 찾고만 있는데 어쩌면 그게 행복이 아닐 수도
있다는 사실이 무척이나 괴로웁니다.

그럼에도 하루는 지나가요.

왜 자꾸만 저기 저 먼 행복만을 동경할까요.

근데 내가,
행복을 바라며 살아도 될까.

빛의 산란

우리, 무지개를 보면 소원을 내뱉자고 했다. 아무도 없이, 아무것도 없이.

달은 밤의 손님처럼 다가왔다. 눈을 감고도 쏟아져 나오는 빛을 감추지 못했고, 우리는 밤을 곱씹으며 별안간 울어버린 우울을 탓했다.

나, 그렇게 사라져가는 밤낮을 덮어버리고 내일을 소원하기로 했다.

눈을 뜨면 무지개를 볼 수 있을지 모른다. 신념 없는 기도만 보낼 뿐.

우울을 곁에 두고 청춘을 허비하는

우울을 곁에 두고 청춘을 허비하는, 이라는 말을 내게 건네셨어요? 그보다도 제가 우울을 곁에 두는 청춘인 걸 알고 계셨나요? 놀랍다, 놀라워.

나의 벗들은 저마다의 우울을 품에 두고 청춘을 살아가는데 허비라고 이야기할 수 있나요? 그건 우울이 아닐까요? 아니, 당신이 우울에 대해 뭘 알아. 아, 방금 말은 너무 심했나요?

우울하다, 는 말에는 어폐가 있다고요? 어쩌라고!

자꾸만 내 우울을 재단하려는 사람들이 늘어나요. 자위하는 연민들과 동경들의 울부짖음. 알 수가 없겠지요.

얘, 그렇게 우울하다면서 사랑은 잘도 말하고 다니네.
하여튼 웃겨.

언젠가부터 당신이 나의 수줍음을 그렸어요

그새 부끄러움이 증식해버린 밤과 이따금 오지 않을 것만 같던 새벽의 영원도 저물어버리는 한때를 간직했습니다.

돛대를 남겨두고 금연을 맹세하는 며칠이 우습게도 대단한 마냥 추앙받을 수도 있군요.

사랑을 나누는 게 더 이상 즐거워지지 않는 날이 온다면 난 죽어버릴 거야, 라고 말하는 친구를 앞에 두고 맛있게 카레를 먹는 사람으로 사는 것이 그리 나쁘지는 않습니다.

우리, 그래도 같이 철없던 날에 휘갈겨썼던 유서를 태웠어요. 후련하세요?

끊임없이 관계를 확인하는 사이가 불안하다고 느껴지는 찰나 그럼에도 여전히 말해보는,

너는 내가 너를 많이 사랑하고 있는 걸 알고 있니?

네가 내 삶에 영원토록 부재였다면
과연 내 행복이 오기는 했을까
이렇게나 가까이 오롯이 온전한 모습으로

아무것도 하지 못하는 새벽이 있다.

병원을 가기 위해 한푼두푼을 모으는 청년이 있다.

기다리던 약속을 피치 못해 취소하는 날이 있다.

문득 그간 하지 않았던 게임을 하고 싶어지는 마음이 있다.

미뤄두었던 집안일을 한꺼번에 해치우는 시간이 있다.

나를 아무런 기대 없이 그저 나로서 봐주는 사람이 있다.

얼렁뚱땅 살다가 죽을래?

- 얼렁뚱땅 살려면 일단 돈이 필요해.

엉엉 우는 일을 일기로 삼아 더 이상 글을 쓰지 않는 어리석은 이가 있다.

넌 꿈이 뭔데?

- 부자가 될래.

유명무실 우리네 인생에서 허상과 허영만 가득한 내가 있다.

힘—내지 말고, 아니 힘—주지 마세요

별 거 아닌 일에 힘주고 다니는데, 요즘은 어디에서나 꾸중을 듣는 거 같아서. 그게 힘을 준다는 게 그러한 의미는 아니고, 간혹 미용실에서 머리를 감는데 머리에 힘을 준다거나, 안과에서 눈을 검사하는데 눈에 힘을 준다거나, 증명사진을 찍으러 갔는데 어깨에 힘을 준다거나 하는, 그러한. 자잘한 얘깃거리들.

적당한 때에 힘을 풀고 살아야 삶이 편해지지.

하는, 그러한 얘기들.

나를 바다로 불러주세요

바다에 남긴 말들이 아주 많아요. 그곳에서 들어야 할 이야기들이 가득해요. 괜히 모래에 글씨나 새겨 적는 일 말고 아무 소리 없이 밀려드는 파도에 말들을 흘려보내요. 저 먼 바다에서도 알 수 있을까요? 그때 그 바다에서 다시 만나요.

그런 상실은 필요 없어요

ㅡ

상실도 경험이 될 수 있나요?

- 물론이죠.

사랑하는 무언가를 잃어버렸을 때 상실감이 크게 작용합니다. 사랑하는 이의 죽음, 사랑하는 것들을 분실했을 때도 그렇습니다.

나는 그런 상실은 필요 없는데요.

- 살아가면서 반드시 겪을 거예요.

상심과 상실은 어떤 게 다르나요? 지속적으로 잃어가는 사랑과 상실은 어떠한 연관성이 있는가요?

-

우리는 가끔 필요 없는 말을 들으며 자라고

쟤는 엄마 없이 자라서 그래.
쟤는 아빠 없이 자라서 그래.

쟤는 임대아파트에 산다며?
쟤는 글쎄 건물주래.

쟤는 가정교육을 어떻게 받은 거야?
쟤는 너무 오냐오냐 자랐네.

쟤는 사랑 없이 컸나 봐.
쟤는 혼자서 독하게 컸나 봐.

병나발 부는 어른으로 커버렸어요

이제 어떻게 살아야 할까?
- 어떡하긴 뭘 어떡하니, 네 인생이야.

마감 시간이 촉박해.
- 게으른 네 탓을 해야지, 누굴 탓해?

우울해서 미쳐버리겠어.
- 일단 침대에서 일어나!

하나님 나 살려줘요

하나님? 하느님? 이제 그건 제 관할이 아니겠지만.

어찌됐든 이 한 몸? 이 한 몫? 잘 챙겨 세상 떠나려고요.

이렇게나 바쁘게 살다니 꽤나 흥미로운 걸

이제 더 바쁘게 살아야지

...

:)

사랑과 애인 그리고 당신

우리는 사랑한다는 말이 최선일까, 더 나은 표현을 나는 더 찾지 못했는데.

고달프고, 나의 사랑은 한정적이다. 몰락하는 돛대들이 바다를 잠식시킬 수 있는가. 거친 파도를 만난 뱃사공은 배에 태운 연인들을 축복할 수 있는가.

시린 손들을 모아 따듯해질 수는 없다. 여전히 손발은 차가운 채로 평생을 살으세요.

잠시만, 네 목에 있는 그 상처는 뭐야?

평생은 사랑에 쓸 수 없는 말

귀속된 사랑은 얼마나 부질없는지. 집착으로 이루어진 영원이랍시고 씌워진 관계는 얼마나 갑갑한지. 당신은 알까. 너는, 알까. 평생을 사랑한다면 그 평생은 내가 죽고 나서도 유효한가요.

우리의 사랑은 과연 사랑이었을까. 단지 사랑을 위한 사랑이었을까. 우리는 어김없이 속삭이는 사랑에 무어라 대답할 수 있었을까. 입맞춤은 그 모든 걱정을 잊게 하고서는 간신히 정신을 차리게 만들고.

나 없으면 못 살겠다는 이들이 얼마나 많은지. 아니지, 너 하나뿐이다. 그렇게 울고불고 사랑을 투정해도 더 이상 주는 사랑 따위 없기에. 그렇게 계속 기다릴 거야? 그렇다면 내 할 말은, 언젠가 돌아갈게.

장담하지는 못하지만, 이라는 걸 너는 알고 있을지. 우습게도 이미 다 지나간 일이라 덧붙일 핑계가 없네.

잔인한 사랑의 결말에는

아, 우리의 사랑은 너무나도 갸륵해라. 세기의 사랑이 따로 없다. 죽고 못 살던 사이도 순식간에 모르는 사이가 되는 건 아무도 모르는 사실이 아닌데, 여전히 간과하고.

사랑이 얼마나 우리를 망치는가. 어쩌니, 너 사랑을 미워하게 된 거니. 앞세우고 뒤로 숨던 이는 다시금 사랑을 탓하는, 그저 무용지물이에요.

우린 한 번도 보지 못했지만

가장 절친한 친구가 될 수도, 남몰래 여담을 나눈 사이가 될 수도, 당장이라도 보고 싶은 사랑이 될 수도 있다면서요.

우정과 사랑, 당신의 선택은? 내가 한 마디 하자면 사랑의 범주 안에 우정이 있다고 생각한다. 에잇, 재미가 없네.

단발적이고, 단편적이고, 단면 그 자체와 단기적인 그런 사랑의 굴레. 굴레는 아니지, 너울, 그것도 아니지. 그러니까 그 벌거벗은 언어들 사이에서 우리가 사랑을 속삭일 수 있다는, 부질없는 몇 글자 사이에서.

내가 사랑한 너는 유난히 독백과도 같은.

세상이 나에게 좀 더 다정하게 대했더라면

오랜만에 일기를 쓴다. 실은 도피성 수면을 꽤나 많이 하고 있다. 우울을 빌미로 잠을 청하는 건 내가 제일 싫어하는 건데 폭식증이나 도피성 수면이나 이따금 내뱉는 욕지거리나. 요즘은 음주를 하지 않아서 다행인건지. 죄다 정신건강에는 매우 해롭다. 돈 벌어서 또 다시 정신을 진료 받으러 가야지.

나는 요즘 주체할 수 없는 우울 속에서 헤엄치는데 어쩌면 이 우울이 나를 살아가게 하는 아주 지독한 이유이지 않을까, 생각한다.

게으름뱅이가 끊임없이 일을 하면 처리할 새없이 할 일만 쌓여 간다는 걸 그때의 나는 깨닫지 못했다.

갑잖게도 열심히 살고 있네, 라고 말하는 아무개를 더 이상 친구라고 부르기를 마다하고 그러다 문득 곱씹어보는 실낱의 추억들이 나를 종종 별 거 아닌 일에도 심판대에 올려놓는다.

엉엉 울어버리고야 마는 어리석고 겁 많은
그럼에도 어른이 되어버린

무심한 이 단칸방에서 한가로이 오늘과 내일의 끼니를 걱정하는 게
아니라 들어오자마자 빠져나갈 돈 몇 푼에 절망하며 그러다 인생의
흥망을 벌써부터 정해버리는 허영 가득한 어린양을 구원해줄 수 있는지
  - 글쎄요, 기도를 해보세요.

계획 없이 사는 삶에 누가 딴지를 걸겠어?
  - 저축을 하자! 저축을 하자!

더 이상 울다가 지쳐 잠이 드는 날은 없다. 사람멀미를 끔찍하게
앓았던 어제도, 불행을 보따리처럼 이고 다니던 마음도 하나도 없다.

어린 날이 잔뜩 담긴 앨범을 받았어요. 그 어린아이는 언제 이렇게나
커버렸을까요.

모두가 행복하다고 생각하면 인생이 편해지지. 그것보다도 내가
그 행복에 들어있나.

평범한 사람이 되는 게 왜 이렇게 어렵지?

선물은 죄가 없지

아직도 내가 준 선물을 잘 간직하더라, 불쾌해!

저 X는 아직도 말이 많아

농담도 자주 따먹으면 탈나요. 삼킨 말들에는 책임이 뒤따르고, 거짓말은 융통성 있게!

저급해서 가볍게 말한다던 그 아이, 너보다 오래도록 말로 먹고 살 테니 걱정 말고 네 안위나 신경 써라.

애인을 주기적으로 갈아치우든 담배를 피든 술을 매일 마시든 온몸에 타투가 있든 대체 무슨 상관이세요? 크면 클수록 소문을 소문으로 맞대응하는 별 볼 일 없는 수법만 늘었다.

내가 그 새끼랑 잔 게 너한테 무슨 의미가 있는지? 잤는지 알 게 뭐야. 야, 그런 거 다 하등 부질없고 먹어 가는 네 나이나 붙잡아라.

자기라는 말은 참 웃겨

나라는 말이자 너라는 말이 되는 게 신기해요. 연애는 그런 거야? 갑자기 사랑을 하고 싶어지면 어쩌지, 연애를 그렇게 쉬었다가도 할 수 있는 거였는지.

영원한 삶에서 우리는 유영하다가 역류할 듯이.

"우리는 무슨 사이야?"

나는 너를 사랑하다가도 무책임하게 연애도 하지 않는 거 보면 한 번에 거둬들일 수 있는 사랑을 추구하는가 싶기도 하다. 그건 어쩌면 정말 잔인해. 그러면 또 묻겠지.

"너한테 사랑이란 건 어떤 의미야?"

우리, 어차피 연애는 하지 않을 텐데
사랑 따위가 뭐라고 미루세요

사랑과 연애가 진정 같은 선상에 놓여있다고 생각하는 걸까. 언제든 사랑을 주고받아도 우린 연애하는 사이는 아닌 걸. 나는 이따금 네게 사랑한다고 말은 해줄 수 있지만, 그게 정말 사랑인지는 잘 모르겠다.

휘몰아치는 사랑은 연민일까. 마침내 우리가 사랑할 수 있게 되었다는 증표라도 내놓아야 하는 건지. 속삭이는 사랑만이 진정한 사랑인 걸까. 우리가 하는 사랑은 어떠한 형태로 발현되는 걸까.

아, 우리는 사랑은 하지 않는데 밤에 취해 사랑한다고 이야기하는 것뿐이었지. 맞다, 그랬다.

나는 울면서 밤을 지내요

믿고 싶으세요? 더 이상은 기도 없이는 삶을 버텨낼 수 없다면서요. 가득 끌어안아 품고 사는 소원들 말고요. 어떻게 하면 응답해주시나요? 나는 이렇게나 서러웁니다. 라고 이야기하면 들어주시나요?

미안하다는 말과 청혼하자는 말을 동시에 하는 이상한

난 여전히 너를 싫어하지도 미워하지도 않아.

평범한 사람이 되려면 멀었나요

이제 더 이상 상담을 할 필요가 없을까요?
- 예원씨, 그런 섣부른 판단은 금물이에요.

언제쯤 나아질 수 있을까요?
- 과거에 붙잡혀 나아가지 못하고 있다는 걸 알잖아요.

행복은 평범에서 온다고 생각해요. 남들과 비슷하다는 생각에서부터.
- 어째서일까요? 예원씨의 평범은 무엇이고, 그로부터 오는 행복은 어떠한 의미를 지닐까요?

지속적으로 고통받는 삶은 호소할 수도 없이 점차 해소되고 있는 것 같아요. 잔잔한 파도처럼.
- 그건 해소가 아니라, 해체된 것 아닐까요. 점차.

단칸방 한켠에서는 많은 일들이 일어난다

나 이렇게 살아도 되나, 라는 생각을 종종 하는데 요즘은 유독 더 심하다.

선호와 비호, 호와 불호 사이에서 진정한 선이란 무엇인지 비호와 불호의 기로에 서 있는 건 어떠한 기분인지 살짝 감이 오지 않다가
그래, 이게 내가 지내온 하루이지. 통달하는 우스갯소리들이 가득해진다.

여러 날들의 대화 가운데, 썼다 지워보는 이름을 보내지 못해 끙끙 앓다가 내가 미루고 있는 것들에 대해 생각한다.

묻고 싶은 안부를 간신히 참아본다. 나는 여전히 머물러 있을 뿐 나아가지 못한다. 공허와 탄식은 절제되지 못한 채 자꾸만 반복된다.
매일이 지옥이지,

맞다, 나
간신히 버텨내고 있었지
우습다

이따금 적어두는 말들

앞으로도 네가 행복했으면 좋겠어. '하루에 한 번이라도 행복한 일이 있으면 좋겠다. 슬픈 날이 없도록' 이라고 적어놓은 게 있거든. 너도 슬픈 날이 없게 한 번이라도 매일 행복한 일들이 있으면 좋겠어.

교수님은 말했다

홍예원!

앞으로는 눈치 보지 말고 먼저 치고 나올 필요가 있단다!

그래도 일주일동안 사진 작업을 했구나.

수업 시간에 꼭 보여주렴.

잘 찍고 못 찍고는 없어!

너만의 시각으로 세상을 어떻게 보여주느냐에 달린 것!

파이팅 합시다!

여기는 방음이 되는 걸까

새벽댓바람부터 윙윙 거리는 모기 겨울 초입에도 살아있는가. 악에 받쳐 소리 지르면서 일어났는데 잡은 건지 못 잡은 건지 형태도 볼 수 없다.

어제는 잔여백신 예약을 잡아서 2차를 후다닥 맞았는데 아프지도 않아서 자만하다가 밤새 부푸는(체감상) 왼팔을 보며 후회했다.

휴학을 하며 했던 다짐과는 다르게 아무것도 해내지 못할 거라는 거지같은 생각에 휩싸이고 있다.

나 원래 긍정적이고 낙천적이지 않았나, (그나마) 있던 장점도 사그라드는 것만 같다.

미화되는 가난과 끊임없이 싸우는 행위. 지속적인 도태와 경외

속에 벗어나고자 노력하는 사람. 난 시발 그것도 뭣도 아니어서 멍청하다는 얘기밖에 할 줄 모르고 몇 년 동안 글 쓰는 것밖에 안 배웠으면서 할 줄 안다고 까부는 사람으로 살아갈 예정인가. 우울이고 나발이고 아무것도 나를 지지하거나 지탱해줄 이유는 없다.

　당신의 불면이 내 탓이 아니길 바라며 물럿거라 기도해주는 모순. 숨 막히는 이 세상의 멀미가 이어지는 가운데
　간신히, 버텨내는 청년의 모양새.

　아아-

　그래요 오늘의 기분은요?
　- 맑음으로 합시다. 비가 잔뜩 내리지만요.

　나의 행복을 빌어주는
　사랑하는 나의 친구들에게.

　오늘도 잘 자고 잘 먹고 잘 살아내자.

반쪽 하늘로 하루를 살던

이사를 또 하게 되었다. 이번에는 고시원이 아니라 온전한 방이 갖고 싶었다. 이래저래 말도 많고 탈도 많았던 고시원에서의 지난 두 해의 일련한 기억들은 어쩌면 도움이 될지도, 아닐지도 모르겠다.

창문이 커다란 집에, 그것도 햇빛이 아주 잘 드는 집에 살게 되었다. 넓은 건 차치하고 빛이 들어오는 곳에서 살고 싶었는데 반은 이뤘지.

얻고 잃음은 동시에 찾아왔다. 늘 그렇듯이. 그래도 행복하면 별 탈 없지!

나의 다정에는 어떠한 대가도 요구하지 않는데

나의 다정에는 어떠한 대가도 요구하지 않는데 자꾸만 부담이 된다고 말하는 이들이 있다. 그들에게 그렇다고 해서 내가 과연 다정을 거둘 수 있는가에 대한 의문.

칭찬을 많이 하는 사람으로 사는 것과 가식이 전부라는 이로 듣는 인생이 별반 다르지 않다는 요즘.

영혼 없이 대답하는 수많은 반응들 속에 사회생활 한다는 말이 끼얹어진다.

나는 여전히 나를 미워하는 사람들조차 응원하고 나를 싫어한다는 이들을 설득하고자 하는데.
어쩜.

세상은 참.

생일이 오기 전에 우리는

또 다시 친구가 되어버리는데, 이게 사람 일이라는 건 알 수가 없지. 나의 사랑에는 생일을 기점으로 끝이 나버리는 유효기간이라도 있는 걸까요. 실연도 시련도 곁에 오지 마시고 온전히 오롯이 제 생일을 제가, 축하할 수 있게 도와주세요.

선물이라도 주시던가요.

우리의 이름은 그저 나로 불리우는 것

친구가 자신을 소개한다. 나는 여자도 남자도 아니야. 나는 친구에게
말한다. 나는 너를 오로지 너로서 사랑하는 걸.

우리는 타자화된 잘못을 안고 산다. 정작 잘못을 한 적이 없으면서.
죄를 짓는 아이들은 잠을 잘 때 양을 세지 않나요?

소원과 소망

아마
아닐 걸.

일전에 말했던 그 아이. 글쎄, 나를 시기하더라

- 숨이 안 쉬어져

약속이라는 말에는 저마다

사랑한다는 약속에는 어떠한 거짓이 숨어 있을까.
- 아, 우리는 사랑한다는 말을 자주 내뱉지 않잖아.

사랑을 거짓으로 기반한다면 슬픈데.
- 그래서, 사랑하고 싶어질 수도 있잖아.

나는 너를 사랑해
- 야, 그건 너무 뜻밖이다.

다독이는 파도와 손을 맞잡고

다정이 그득한 바다는 넘실대며, 파도가 슬그머니 일렁이는. 그 밤 바다를 기억해? 엉엉 울던 이를 붙잡던 모래사장을 기억해?

사랑의 부재와 우울의 결속의 근원은 어디인지. 너의 외로움은 결핍에서 지속되는 것이라고 생각해?

나의 사랑은 바다야, 라고 하면 그게 진정 파도처럼 밀려들어오는 사랑이 되는 걸까.

부질없는 파도들은 정작 내 말을 듣기나 하는 걸까. 속 시끄러운 새들이 속절없이 울고 있다.

우리의 사랑을 탕진하는

가끔씩 웅얼거리는 너의 안부에 대해서. 나는 입 밖에 꺼내지 못한 채 자꾸만 삼키는 일이 잦아졌다. 세상에 모든 일에는 이유가 있을 텐데. 서로가 서로의 우울을 먹고 자라는. 불쾌한 관계는 끝을 맺을 줄 모르고. 빈말보다 진득한 그 말. 부서진 공간에는 아무도 모르는 여백이 존재하고. 발을 맞춰 걷다가는 내일을 놓쳐버릴 것만 같은. 아무 대꾸도 못하고 웃는 낯이 두껍다.

마음껏 울다 지쳐 잠이 들어도

언젠가 자판기로 취급 받고 있다는 사실을 깨달았을 때에는 그리 슬프지도 않았습니다. 필요한 것을 누르세요. 그렇다면 그 물건이 곧 주어질 겁니다.

매일 베개를 안고 울었습니다. 그게 비효율적인 일이라고 지적해주는 아무개가 있어 그마저도 해소되지 않은 채 속에 뒤엉켜 자꾸만 멀미하는 날들이 늘었습니다.

깊이 있는 대화가 절실히 필요합니다. 더 이상 대화를 하고 싶지 않아졌습니다. 어쩌면 그것도, 다 너의 계획이니. 우스운 말들이 오고가는 찡그림 속에 기꺼이 잠을 청하는 어른.

부재중이 남으면 다시 전화를 해주셔야죠. 저는 영영이고 기다려야 하는가요. 할 일은 많지만 제게는 연락을 하지 않는 사람들이 점차 쌓여갑니다.

내 어린 날의 일기장

내세울 게 없는 사람인 건 맞지만, 꿈도 없는 사람 취급받기는 싫습니다만. 저는 오늘도 저 혼자만의 여행을 합니다. 당신이 듣게 되면 비웃을까요. 혼자뿐인 침대 위에서 이루지 못할 꿈들을 펼쳐봅니다. 써지지 않는 글을 미워도 해보고 어른이 되면 무엇을 하지, 생각도 해봅니다. 나는 누구로 남을까. 나는 무엇이고, 누구일까. 이루지도 못할 꿈에 인생을 걸어보기도 합니다.

무언가의 시초가 되는 삶을 살아야지

정돈되지 않는 말들이 하루를 묶어가고 사라진 하루는 어디로 갔는지 도통, 보이지 않습니다. 무엇을 바라고 있는지 아시겠나요. 저 또한 모르겠는걸요. 아마 아무도 알지 못하겠지요. 마무리하는 문장을 쓰기에는 오늘 하루가 너무나 버거울 따름입니다.

어쩌면 무너진다

사랑을 약속한다는 건. 그보다 더 허상인 게 있을까. 나는 종종 사랑을 고하고 이별을 맞이하는데, 그 이별이 아주 찰나였던 적이 있다. 울고불고 매달렸던 그 아이가 내 곁에 영영이고 남아 있을지도 모른다는 생각을 하게 될 때 느껴지는 낯섦. 우리는 나아가고 있었던 걸까, 멀어지고 있었던 걸까.

여전히 책상 위 술병들은 두들겨지는 타자 소리와 맞춰 잔잔하게 울려 퍼진다. 요동치는 물잔과 더불어.

밤과 술이 있으면 어디로든 떠날 수 있다며?

나로서 살아가지 못하는 영영의 청춘들을 알고 있으니, 이제 그만. 겪어봤으니 너도 잘 알잖아.

별 부질없는 독백들이 담배연기처럼 흩어진다.

우리는 다정을 말해요

있잖아, 저는 그런 생각을 해요. 우울을 말할 때 왜 난 곁에 있어주지 못하는가. 나의 다정은 정말 약소해서 아무런 도움이 되지 않음을 알면서도, 늘.

나를 싫어하는 줄 알았어, 하는 말에 단호하게 아니라고 이야기해주는 이가 있다. 그렇다면 나는 너를 좋아하는 걸까. 아니라고는 할 수 없지. 나는 너를, 너의 그 방향을 누구보다도 응원하는 사람. 배제되어도 좋아.

보고 싶다는 말에 사랑해, 라고 답하는. 아무개가 벗이 되는. 우스운 건 내가 아니라 우리의 편협한 어제들이었지. 약속을 정하자. 우리가 여유로이 다정을 주고 받는 오늘을 위해!

사랑한다는 건 빈말이 아니야. 농도 짙은 우스갯소리들이 그저 스며들 때 깨닫는다. 아, 이건 사랑이 아닌가. 아니면 뭐 어때. 야, 나는 그래도 사랑한다고 말할 거다.

친애하는 나의 사람아

예, 저는 예술하는 일개 나부랭이라서요. 라고 말하는 진정한 예술가를 만났는데,

그의 취미는 고양이 밥 주기, 공원에서 책읽기, 새벽에 그네타기, 이따금 기타 치며 노래 부르기였다.

당신은 유랑자네, 라고 말하자
난 집이 있다, 라고 말한다.

우리는 이름도 모르고 나이도 모르고 술 한 잔도 아니고 ·
대화 몇 마디에 친구가 되어버린

우스꽝우스꽝

가여워라, 가여워

도박에 빠진 아이처럼 허우적대다가 문득 고개를 들면 아침을 맞이하는 청춘은, 아아— 청춘을 모함하지 마세요.

허기를 친구 삼아 끊임없이 무언가를 먹는 그 아이에게는, 위로해줄 여력 없이 출렁이는 사랑만이 그득하다.

채워지는 사랑에는 여러 이름들이 있는데 나는 그중에서 제일을 돈이라고 생각하는 속물에 불과하고, 자꾸만 쓰는 마음들을 다시금 내다 버리는 행위를 반복함으로써 숫자를 숫자로 보지 못하는 경이에 이르렀다. 어쩜 좋아.

사랑이 너는 과연 행복이라고 생각해? 반증이란 건 그로부터 비롯되고, 우리의 사랑은 우울일까. 아, 이런 말은 잊어줘.

미안, 하다는 말에는 사랑한다는 말이 들어있는 걸까. 너는 사랑한다는 말보다 그 말을 더 자주하는구나. 결국 우리는 애초에 사랑을 시작하지도 않았다는 듯이.

바보들이 운다. 엉엉.

그래서 너한테 사랑이 무엇인데

라고 묻는다면 대답해주는 것이 인지상정— 하는 우스갯소리 말고. 질문을 하는 저의가 어떻게 되세요?

우리의 사랑은 속삭일 때 간직해두면 꽤나 의미가 있는 것. 그 사랑은 창피한 게 아니잖아요. 보잘 것 없는 사랑이야말로 값진, 청춘이란 그런 걸까. 만취한 청춘들을 기피할 때 비로소 나 역시 그리 되어 버리는. 우리가 사랑한다고 해서 연애를 꼭 해야 되는 건 아니지. 그 사랑이 네게는 그리 중요한 거야?

우리는 얼마든지 사랑을 이야기하지만 정작 사랑은 어디에도 없다. 마치 그건 애초에 존재조차 하지 않았던 것처럼. 그런 비약은 말아 줘.

무엇이든 종잡을 수 없을 때 달아오르는 법!

X됐다. 말세다!

몇 차례 연애하고 느끼는 바는
아, 나 진짜 혼자 잘 지낸다!

그간 별로 사랑하지 않았던 것 같기도 하고
일련의 무언가를 사랑이라고 착각했던 것 같기도.

정착하지 못한 마음은
아무래도 써먹지 못할 터.

혼자 앉아 먹는 술집들이 점차 늘어가고
주량도 늘어가는 것 같은, 왜 취하지 않지?

여지를 남긴다고
널 사랑하고 싶은 건 아니고
난 그저 재밌는 게 좋은,

울고불고

온몸에 타투가 있든 없든
눈썹에 피어싱을 하든 말든
성격이 착하든 나쁘든
드세든 말든
되도않는 끼를 부리든 말든
싹싹하든 싸가지없든
네가 뭔데, 하는 생각.

꼬냑을 원샷하고
생각을 정리

야, 세기의 사랑이라도 한 것처럼
질질짜지나 마라.

지겨워, 하튼.

맨정신이 아닐 때는 제발 주무세요

우울해서 못 견디는 하루들이 얽매이고
저는 또 술을 마시겠지요

사랑은 내뱉으면 바로 할 수 있어요
나는 당신을 사랑하기도 하고
또 아닐 수도. 너 사랑은 내가 아니야.

아무튼 간에 나는
사랑을 합니다, 오늘도

그게 너일까
나는 당신의 사랑이 아니지만
당신은 나의 사랑이 언제나 될 수 있지

내가 다들 얼마나 좋아하는지

조금이라도 알았으면 좋겠는데
굳이 몰라도 상관없는 일이기도 하지.

사랑은 눈 깜빡할 새에 들이닥치고
우리는 그 낡아빠진 마음들을 주워 담기 시작했다

당신을 얼마나 사랑하는지도 모르면서
우리 꽤나 잘 통한다고 이야기하는
멍청이와 벗이라니 아이고 웃겨라.

우리는 왜 우리를 사랑하는 이들을
끊임없이 의심하며 확신하지 못하는가.

나로 하여금 사랑이 어디서부터 비롯되는가,
두터운 신뢰가 사랑이 그득한 말들을 방해하는.

야, 그게 사랑이 아니면 뭔데.

그러니까 너에게 사랑한다는 이야기를 했었니,
그 말을 나는 영영 할 수도 있어. 웃기지.

보고 싶다는 것과 별개로 사랑한다는 말을 얹자.

상처받는 나를 의식마시고 행복을 곁에 두세요.
오래 오래!

근데 있잖아,
내가 너한테 사랑한다는 말뿐만 한 거 맞아?

오늘이 종말이라면 난 벌써 죽어버렸겠지
그렇지만 행복하다고 말할 수는 있을지 몰라

내가 사랑을 이야기하노라면 모두가 귀를 기울이며
궁금하다고 아우성인데. 글쎄, 그다지 재밌지 않는 걸 잘 알면서
또 그런다.

상술에 만들어진 기념일 따위가 뭐가 좋다고 히히덕거리는 나의
친애하는 벗들. 그들에게 기꺼이 선물을 보내는 하루.

애인은 나를 위해 자꾸만 자꾸만 꽃을 바래다준다. 꽃 알레르기가
있는 사람치고는, 그것도 너무 많이.

무슨 꽃에 알레르기가 있는지는 모르겠어,
하는
우스꽝

쓰레기집에 사는 청년과 즐긴 점심의 느긋한 순대국밥은 어떠셨는지요?

아무튼 간에 난 언제 졸업을 하며 집을 마련할는지?

우리는 또 과시하는 이들을 괄시해야만 하는지?

아, 미안
우리라고 해서.

만인을 사랑하는 게 죄라면 나는 누구를

여기에 사랑 없는 사람 있는지. 이따금 보내지는 애정과 다정을 혼동하는 이가 있다. 나는 너의 친구, 친애하는 아무개.

응원하고 지지한다는 말의 의미. 별 시덥지 않은데요. 보고 싶어, 같은 삼켜야하는 말들이 있다

나의 칭찬을 비아냥으로 알아듣는 이들에게. 너의 심판대 위에 올라가있는 그 아이, 참 선량하더구나. 말할 수 있는 행위의 보여지는 무엇.

네가 나를 미워해도 나는 여전히 너를 미워할 수 없어.

울어봐도 나는 영영 어린아이로 돌아가지 못하고, 어린아이였던 나는 정작 울음을 참는 법을 먼저 익혔지만.

우습다와 우스꽝스럽다의 차이

- 정신이상자로 손가락질 받으며 살래?

버거워요 이 하루가. 멈출 수는 없는 건가요?

응, 그렇지

나는 벌써 눈을 맞이했다.

내가 사는 서울에는 눈이 오지 않나 봐

저마다 눈을 보고서 누군가를 떠올리는가. 겨우 벗어난 고시원에서 언덕을 여러 번 올라야 당도하는 조그마한 방 한 켠이 눈 속 더미에서 나를 지켜준다. 그런데도, 눈은.

첫눈이래!

이 언덕에는 눈이 쌓이기도 전에 성실하게도 치우는 이들이 있어요.

어느새 밤이 오면 모두 녹아버린 눈들과 첫눈의 달큼함이. 눈이 언제 내렸나요? 저는 본 적이 드뭅니다.

그 아이는 조금 이상해

이상한 그 이 아이는 이상한 옷을 좋아하고 이상한 노래를 즐겨 들으며, 이상한 이야기들을 아무렇지도 않게 내뱉는다. 이상한 표정으로 사진을 찍으며, 온몸에는 이상한 그림들이 새겨져 있다. 이상해. 아주 아주 이상해.

이상한 그 아이는 험담은 잘 하지 않으나 자기비하에 찌들어 있고, 어쩌면 대단하다가도 한편으로는 너무 불쌍하기까지 하다. 무언가를 시작할 때 별 다른 두려움이 없어 보이는데 막상 들여다보면 누구보다도 다음을 걱정하고 있다. 행복해보이다가도 우울해보이고 그러다가도 또 웃어버리고 마는,

이 아이는 어떤 생각으로 살아갈까.

도대체.

돛대는 사랑을 싣고

내게 남은 돛대를 너에게 줄게.

그게 대체 무슨 의미가 있나, 물으신다면. 어쩔 수 없이 내가 피워버리는 돛대.

모자란 사랑을 들이마셔야 비로소 오는 안정은 어지럽게도 금단일까요. 우리의 돛대는 여기저기 흩뜨러져있는데 그걸 제가 주워 담아도 될까요.

가볍게 채울 수 있는 게 사랑이라면 뭣하러 인생을 걸었나요. 청춘이 사라지는 밤에는 우리가 아무 짓도 하지 못하게 막아주세요. 닳아버릴 그 마음을 놓치지 말고요.

누군가 내게 그러더라,

너는 취미가 사랑인 것 같은 사람이야

나의 밤은 너의 낮 아래 있다. 나의 낮은 우리의 밤 사이에 숨어 있어.

틈이 자꾸만 생겨 벌어진다.

일상을 비틀어야하는 불규칙적이고 불안정한 어쩌면 어제와 별다를 것
없는 오늘.

나는 여전히 알 수 없는 말을 읊조리며, 사랑과 사랑에 대해 이야기
하고 너는 내 사랑이 무엇인가에 대해 질문한다.

글쎄
아마도
...

아무래도 사랑은 저 멀리에 있나 봐

아아 ─   다들 무탈하신가요.

예원은 여전히 시끄럽고
좌충우돌 라이프에서 허우적대는 중입니다.

우리는 처음 보고도 사랑을 다 아는 것처럼

그렇게 다 아는 듯이 굴지 마세요. 그러다가는 정말 사랑에 빠져버릴 지도 모른다고요.
- 그러면 어때? 사랑을 숨기는 건 그리 유쾌한 일이 아닌데.

자해하듯 찍어내는 타투들에는 어떠한 의미들이 있으며, 나는 오늘 처음 만난 이들에게 얼마나 사랑을 속삭이는가. 그저 아무것도 아닌 사랑들을.

지켜내고 사랑하는 법을 알지 못하는 이가 있다. 사랑을 빌미로 점점 추해지는 이가 있다. 우리는 비밀을 간직하지 못하고, 사랑을 미루고, 말이 되지 않는 이별을 맞이하고, 친구로 남아버리려 하는 우스꽝. 사랑이라는 이름 아래 연명하고 있는 몹쓸 행태. 야박한 사랑들이 매달려 있다. 금방이라도 곧 떨어질 걸 알고서도.

나의 다정이 독이라는 당신에게

소탈과 무탈. 당신은 어느 쪽이 소원인가요.

돈은 곁에 있다가도 입술을 꽉 깨물면 사라지는 사과 한입.

아무튼 간에 건강이 나빠지고 있어요.

침대 가 있다
있는데

한쪽을 노트북에게 내어주고 한쪽을 빨래에게 내어주고 한쪽은 쓰레기
에게 내어주고

남은 한 구석에서 잠을 청하는 젊은 청년의 티 없는 군상.

우습다 우스와

같이 살자를
백두 번 정도 외치는 오후
그치만 상대는 강경하다!

난 언제쯤
일확천금을 누릴까요?
아마도 골병살이.

우습다 우스와!

뱉어내야만 함구할 수 있는 못된 비밀들이 있어요

여전히 촬영장 구석에 앉아 있다.

기대했던 친구와의 약속을 취소하고 새벽에 어찌저찌 일어나는 나를 보며. 아, 그래도 얘 현장을 꽤나 갈망했구나

예원씨는 직업이 엄청 많으시더라고요. 하는 말들. 나름 꽤 오래 일했다고 생각해도 아직 막내로 이곳저곳 불리우는 거 보면
참 재밌다가도 우스워지는.

아직도 슬럼프라고 생각해요?
- 네, 여전히. 지옥같아요.

그래도 나름 예원씨는 행복하게 지내고 있지 않나요.
- 그러니까요. 우습죠?

우울해서 토할 거 같아요

오늘 하루 종일 창문을 열어두었는데
누가 계속 욕을 퍼부었어요

저는 제 사랑도 신경 못 써요
그러니 네 사랑을 시시콜콜 이야기하지 말아 줘
전혀 궁금하지가 않는 걸

 나는 여전히 유약하고 멍청해서 제자리에 맴돌고
 우리, 라고 이야기할 수 있는지 자꾸만 의문이 드는 관계들만이
쌓여간다

하릴없이 떠돌다가 요즘은 계속 술을 마셔요
무의미한 음주 행태는 내내 나를 괴롭히다가도 다시금

아,

보고 싶다는 말에는 의미가 있겠지
그토록 울고 불며 매달리는 이유는 뭐야
네가 말하는 내 사랑은 가볍니

사랑 맹신론자와 연애 비관론자
추태부리지 마세요

나 홍예원은
오늘부터 그냥 바보하겠습니다!

매일을 일하느라 쉬는 법을 알지 못하고 강박에 빠져
엉엉 우는 청춘이 있다는데, 그게 나라니

할일을 제대로 해내지 못하고
알람은 열 번씩 울리는데 일어나지 못하고
몸이 으슬으슬 아파온다

일하지 않는 나는 무척이나 쓸모없게 느껴진다
제대로 쉬는 법을 배우지 못한 사람처럼
휴일이란 말이 무색하게도 우울해요

넘치는 사랑과 응원을 끌어안고
주어진 사랑을 불신하며
이불 속에서 엉엉 우는 일밖에 하지 못해요

야 그건 정말 너답지 않다
나? 별볼일 없는 청춘에 불과하고
여전히 예술을 팔아 일주일을 겨우 산다

이제 더 이상 아무도 미워하지 않고
나를 사랑하자는 다짐도 하지 않으며
하루가 고요히 지나갔으면
부디

텅 빈 냉장고
불 꺼진 방
비가 쏟아지는데도 열려있는 창문
매미가 울면 평화는 끝이 나요

나는 더 이상 혼자가 아니야
자꾸만 늘어가는 멍들의 출처를 알 수 없고
아픈데 어디가 아픈지 몰라서 병원을 가지 않고
틈만 나면 끼니를 거르고야 마는 우스꽝이

지각쟁이는 말할 자격이 없어!

사랑하는 것과 별개로 내내 불안하고 불행해요
그렇다고 내가 행복하지 않다고 이야기할 수 있나

멀미가 이어지고 지끈거리는 말소리들
나, 어느덧 한 살을 또 먹는다. 무섭게도.

온전치 못해요
우스워라

매일이 어지러워요
이렇게 살다가는 도저히 못 버텨!
당분간 아무것도 하고 싶지 않다가도
내일 또 종일 근무한다

다들 나의 안부를 묻지 않는다
각자의 삶들은 너무나 촘촘하다
혼자 견디는 불면이 너무 지독하다

지나가는 하루들은 종종 틈을 만드는 것만 같다
어쩌면 구멍이라고 부를
나는 이따금 빠져있다 아무도 모르게
혹은 보이지 않도록

자꾸만 사랑을 찾는 우리는
도피의 일종일까

사람들은 너무 날이 서있다
나 또한 그럴지 모른다

난 무척이나 위태롭게 자리에 있다
그 자리는 언제나 타인으로 채워질 수 있다

우리는 맴돈다
도태되며 맴돌고 있다
이미 지나온 길을 망각한다
나는 부질없는 하루를 보낸다
아, 꿈에서 깨어났다

아무도 나의 우울을 들여다보지 않고
아무도 나의 행복을 바라지 않는다

도대체 버틸 수 있을까. 피폐해져가는 하루들을 붙잡고 애써 할일들을 외면하고 잠에 들어버리는. 토할 것 같이 어지러운 활자들을 시도때도 없이 읽어내야만 하는. 아, 이게 오롯이 내가 바랐던 삶인가. 부서져라 일하되 자꾸만 실수하고 제대로 쉬지 못하게 하는 불안들이 잠식하며. 기도를 잊었네요, 하는 뜬금없는 속삭임만이 과연 내가 할 수 있는 전부인가?

그렇게 시끄러울 거면
침대 밑에 들어가 웅크리고 울어라

다들 어떻게 살아가세요. 저는 제가 너무 무능해서 매일을 울어요. 모든 걸 사랑하는 것만이 내가 살아가는 유일한 방법인 줄로만 알았는데 빌어먹을 사랑 따위. 까짓 별 거 아니더라고요. 울어도 변하는 건 없다는 걸 절실히 알잖아요.

그래서 아무것도 하고 싶지만 그러지 못해요. 우당탕탕이라도 위로 받고 싶을 수 있잖아요. 버거워요. 나날을 버텨요. 난 내가 단단한 사람이 된 것만 같았는데, 전혀요. 여전히 미약하네요. 별 거 아닌 일에 사과하면 내가 사과를 할 만큼 잘못한 사람이 되는 건가요. 먹어가는 나이에 언제까지 아이 취급을 받을까요. 벌레들이 들끓어요. 폭우가 내리는 날 닫고 나오지 않은 창문을 생각해요. 표출하는 일만이 진정 현명한 방법일까요. 울렁거리고 토할 듯이 어지러운. 모든 이의 말들이 귓가에 쏟아져요. 사랑을 말해도 전혀 사랑하지 않고 있듯이. 메마른 말들이 우스꽝 쏟아져요.

엉엉. 그만 우는 법 따위는 몰라요. 그저 엉엉.

    아직 새로운 달을 맞이하고 하루밖에 지나지 않았는데 이렇게 힘이 부치나요. 심지어 아무것도 하지 않고 침대에 누워만 있었거든요. 어떻게, 잘 지내냐고 묻기에 잘 못 지내요, 하는 요즘을 간신히 버텨내고 있습니다. 어줍잖게 주제도 모르고 나서다가 악담을 들어 버리게 된 예원. 이제는 화를 내지도 못해요. 나의 화는 아무런 호소력이 없거든요. 어찌 해결해야 할 바를 몰라 전전긍긍만 했을 뿐입니다. 그도 그럴 것이 퇴사를 한층 앞당겨 했고, 집 근처에 회사로 낼름 취업해버렸고, 학교는 복학하지 않기로 했어요. 바쁘지요?

죽고 싶다는 생각을 하면서
사는 것도 나쁘지 않아

무색하게도 늘 밤이 된다. 그건 피치 못한 사정따위가 아니다. 불가피한 불가항력. 혼자 있는 삶이 썩 맘에 들지는 않지만 그래도 나름 아늑하다. 온통 까만.

아아 ─ 또 다시 새로운 무언가를 해낸다. 일을 하고, 일을 하고, 일을 한다. 쉬는 하루라는 게 애초에 존재하지도 않았다는 듯이. 무기력한 사랑들을 이제는 더 이상 주워 담을 수도 없다. 점차 쌓여가는 못된 마음들.

돈 버는 나날들이 행복이 없다는 사실. 갓생도 살려면 돈이 많아야 한다는 사실. 돈없는 청년에게 세상이 그렇게 호락호락하지 않다는 사실. 누구보다도 잘 알면서 외면하고야 마는.

비겁한 소리! 병원도 이제는 가지 않고, 건강검진을 될 수 있는 한 최대로 미루고, 침대와 한몸이 되어버린 채 사는 건 꽤나 허무하다.

사람들은 죄다 편협하다. 난, 어딘가에도 끼어있지 못하는 일종의 이물질 같다. 박색하다. 알고 보니 능력 부족이라지. 귀찮아서 밥을 차려 먹지 않는 청년에게는 든든한 끼니 챙김이들이 있다. 얼마나 다행인지 몰라.

　뜻대로 되는 일 하나 없다. 웬수였던 그 아이 알고 보니 나를 무척이나 좋아했다더라. 좋은 인연은 늘상 소문이 좋지 않다. 새로운 터를 잡아 살자. 연고가 아무도 없고, 쉽게 찾아올 엄두가 안나는 곳으로 가자. 그전에 모든 걸 정리하자. 매일 죽고 싶다던 그 아이 어느샌가 정말 죽었다더라, 이내 말을 잃다.

　그래도 모든지 열심히! 밑도 끝도 없는 사랑을 위해!

내가 자꾸만 우연찮게
불행을 자처하는 사람처럼 보인다

———

　펑펑 울다가 아무도 진정해 줄 이가 없다는 사실에 이불 속에 숨어서 소리를 참으며 울었다. 사과해야 할 이들은 절대 행하지 않고 나는 혼자서 긁어 부스럼을 만들어내는 사람이 된다. 미약한 심신으로 아무데도 떠다닐 수 없음을 알면서도 스스로 더더욱 야박하게 굴어 본다. 비참한 일인지도 모른 채. 괜찮다고 말하는 건 아무런 도움은 되지 않지만 추후의 관계에는 언제나 늘 좋을지 모르지. 너는 이제 날 사랑하지 않고, 나는 널 애초에 몰랐던 사람인 마냥 지낸다. 또다시 여름이 지나간다. 눈 깜빡할 새 겨울이 오듯이. 끝내지 못하는 인연들이 주렁주렁 매달려있다. 잘라내지 못하고선 결국에 이어지고야 마는, 우스꽝스러운. 보고 싶지 않은데 더 이상 사랑한다고 말할 수 있는건지? 그건 조금 애처롭지 않나요. 하루를 잃어가듯 보내고 위태롭게 해내는 일들. 그 사이에서 길을 헤매는 내게 쉽게 살아내지 말라고한다. 나는 어느 순간에도 순탄하게 살아본 적이 있는가. 어쩌면 우리는 아예 말도 나눠 보지 못한 사이가 된다. 대화는 점점 부재 속에. 부실하게 부식된다.

아이야, 너는 왜 자꾸만
나날이 우울을 먹고 자라니

집에 혼자 있는 동안 어두운 집에서 잠이 드는 게 무서워 도저히 잠잘 엄두를 내지 못했던 아이가 있다. 그 아이는 그래서 나름의 해결책으로 불을 켜두고선 이불을 머리 끝까지 덮고 얼굴을 파묻은 채 겨우겨우 잠을 잤다. 이제는 아이가 아닌데도 여전히 혼자서 자는데 익숙하지 않고, 불을 켜져 있지 않아도 이불을 꼭 머리 끝까지 덮어야만 비로소 잘 수 있다. 숨이 잘 쉬어지지 않더라도, 그것이 내가 택한 안정의 방식이다. 혼자서 잠을 잔다. 이전에도 그랬듯이. 언제는 혼자서 잠을 자지 않았던 것처럼. 마냥 외로워진다.

서운의 척도는 무엇인가. 나는 펑펑 운다. 소리내어 우는 행위는 지속적으로 찾아오는 우울을 환기하기 좋다. 거칠게 숨을 내쉰다. 가빠진 숨소리는 이따금 진정시키게 한다.

어린아이처럼 울어보세요.
 - 그치만 저는 아이였을 때 울지 말라는 이야기를 더 많이 들었어요.

맘껏 울 수 있는 나이에 울음을 참는 법을 익혔다면, 어른이 되어서 영영 울지도 못하고 끙끙 앓을 걸. 사람들은 감정을 표현하는 방법보다 숨기는 방법을 우선적으로 연구하고 실현한다. 울어도 안아줄 이가 없다는 사실에 종종 슬퍼진다. 슬픔은 더 큰 슬픔을 몰고. 해소되지 않는 마음들이 점차 쌓여간다.

저도 제가 아무리 화가 나도 울지 않고
이성적으로 말을 할 수 있는 사람이 정말이지 되고 싶어요

안녕하세요. 예원입니다.
나의 사랑들은 건강히 잘 지내고 있는가요.

오늘은 그 어떤 말보다도 그저, 이야기하고 싶은 사람이 필요해
글을 씁니다. 실은 별 건 없고요. 이렇게라도 하지 않으면 허탈하게
나이를 먹어버릴 것만 같아요.

숨도 안 쉬고 일을 했습니다. 집. 직장. 집. 계속 반복하느라 거의
사경을 헤맸어요. 집에 오자마자 기절하듯 잠자는 여러 날들이 더더욱
연말을 가까이 오게 하네요. 정신 차리고 마무리하려던 프로젝트들을
기껏 다 마쳐놓고 검수만을 미뤄놓았어요. 아무래도 끝내기는 글렀다,
싶은 저를 두고서는 마구 깨워대는 사람들에게 감사의 인사를 전합
니다. 죄송해요. 조만간, 곧 나올 거예요.

아무개가 모두가 다 출근을 하고, 일을 하는데 왜 그렇게 너만

엄살이야? 라고 묻더라고요. 밥도 안 먹고, 화장실도 못 가고, 휴무도 기꺼이 반납한 내게, 네가 그저 능력이 부족해서라고 말하는 이에게 아무런 대꾸할 힘도 없었어요. 솔직히 말하면 이제 전 화낼 힘도 비축해두지 않아서 툭, 치면 울어버릴 빌어먹을 정신력으로 근근이 살아가요.

아직도 나는 커피 한 잔 제대로 마셔내지 못하는데 사람들은 어김없이 아아를 선물해요. 그게 통용된 약속이니까. 누구나 마셔야 하니까. 아무튼 간에.

나는 무능력하고, 어느 곳에서도 쓸모 있지 않은 것 같다는 생각이 들어요. 아니라는 말들에도 귀를 막아버리고 그저, 매일을 나아가지 못한 채로 정체해요. 내가 남들과 다른 길을 가고 있다는 게 느껴져요. 아주아주 별난 사람인 것 같다는 생각이요. 그래서 자주 포용되지 못하는 그런 인간이요.

저는 일기를 쓰면서 종종 울었어요. 그나마 일기를 쓰는 행위로 우울이 어느 정도 가셨거든요. 이제는 글을 쓰지도 않고, 쓸 시간을 따로 빼두지도 않고, 울어도 해소되지 않는 감정들이 쌓여가고, 알 수 없는 상황들은 굉장히 많아져 가요. 애인이 제게 네 일기는 자해 같다는 이야기를 했을 때 정말로, 정말로 그런 것 같았어요. 물론 그 말이 그리 좋지는 않지만요.

일은 재밌어요. 새로운 사람을 만나 대화하는 자체도 너무 즐겁고, 배경지식을 넓혀가는 행위를 무척이나 좋아하거든요. 그럼에도 지칠 때가 많은 건 이전보다 더 빠르게 방전된다는 것 때문이에요. 다 좋아요. 딱히 문제될 건 없어요. 다만, 얼른 내 일을 하면서 돈을 벌고 싶어요. 내 사진을 하고 싶어요. 그냥 그뿐이에요.

요즘은 누워 있고 싶어요. 출근하지 않고, 작업하지 않고, 휴대폰을 보지 않고. 병원에 가야되는 걸 알아요. 하지만 가지 않고 싶어요. 잠식하고 있는 모든 것들에 뒤로 물러나고 싶어요. 천천히 살다 가고 싶어요. 너무 빠른 현대사회에서 잠시 숨어 있고 싶어요. 눈을 감고.

이제 또 삶을 살아야겠지요.

여유가 될 때 다시 와서 또 첨언할게요.
나이를 먹기 전에요.

무탈하세요.

매년 생일에 하는 말은, 나는 또 무얼 했다고. 대가 없이 주어진 삶을 해내지도 못할 텐데 또 한 살을 먹는 것일까.

영영을 빌어도 도저히 이뤄지지 않는 것들이 있어요. 나는 종종 사랑을 내뱉는데 내게 돌아오는 사랑은 이따금이라는 사실. 이마저 금방이고 시들어버려요.

많은 것이 변했어요. 학교를 새롭게 다니게 되었고, 주어진 일들을 죄다 제쳐두었고, 집에서 무기력하게 하루하루 지나감을 죽여나가고 있어요. 앞으로 벌어질 모든 일들이 설레다가도 두려워요. 늘 그렇듯이 잘 헤쳐 나갈 테지만요.

언제는 혼자가 아니었는지 자꾸만 부재들을 찾아내요. 이제는 자기 전 베개에 얼굴을 파묻고 엉엉 우는 어린아이가 아니게 된 것처럼. 바빠서 우는 것도 계속해서 미뤄야만 하는 어른이 되었어요. 우습게 도요.

끝을 염두에 두고 모든 관계를 맺고 있어요. 히여튼 염세적이야. 부정적인 말들만 쏟아내요. 지쳤다고 해도 나는 그저 변명만 늘어놓을 수밖에 없어요. 보태준 게 없잖아? 하는 불만만 가득해요. 좋게 흘러갈 리 없지.

무탈하세요. 드릴 말이 이뿐이에요.

요즘은 행복하지도, 즐겁지도, 재밌지도 않아요. 아무런 격변 없이 평온하게 지내고 싶어요. 이런 거 보면 저도 나이를 먹긴 했나 봐요. 평범하고 싶어요.

괜한 의미 부여를 해도 여전히 오늘은 지나갈 거예요.

평범하게 사는 것만이 유일한 꿈이라면

어디서부터 잘못된 건지 모르겠어요. 내가 태어난 것부터, 모든 게 그저 제 잘못 같아요.

엉엉 울지 않는 삶은 어디서부터 비롯된 건가요.

사랑이 그득한 마음에는 도저히 곁을 내줄 수 없는 이면이 있는 걸까요.

도망치는 회피하는 대화들 속에 나는 과연 무엇을 관통할 수 있을까요.

지금 주어진 삶이 굉장히 과분하다고 생각하며 살고 있어요.

오래도록 살아남아 지금보다는 더 나은 삶을 꾸려나가고 싶어요.

사랑이 잔재하는 것처럼

제 사랑은 닿지 않는 막으로 쌓여진듯이

아, 이제는 그 사랑들도 전혀 유효하지 않는데요.

버팀목 하나 없이 꿋꿋이

사랑은 어디에나 있듯이 어디에도 없어요.

나는 그저 그런 마음이 가득해요. 그저 그런 사랑만 줄 수 있어요.

우리가 아예 몰랐던 때로 돌아가고 싶어요.

깊어지지 않게 대화도 붙이지 않고

모든 것을 없던 일로 하기에는 이제 글렀잖아요.

엉엉.

이제는 울어도 소용없어요.

엉엉 울다가 하루가 끝이 났어요

모든 게 재미없어요
죽고 못 살겠던 사랑도 저버릴 만큼.

나는 이제 그런 생각을 해요
내가 태어난 것부터 잘못되었다고
아무도 사랑해주지 못할 텐데 불쑥
세상에 나와 겨우겨우 살아간다고요

내가 이렇게 살게 된 건
다 내 잘못인 걸 알아요
다만 탓이라도 해야 숨을 쉴 수 있어요
무고한 사람들을 나무라는 건 아니예요
그들에게도 다 지분이 있답니다

왜 이렇게
평범하게 사는 게 힘들까요
큰 걸 바라는 것도 아니었어요

그저 그런 대학이라도 나와서
겨우 살아갈 수 있는 직장을 남들처럼 꾸역꾸역 다니고
평범한 사람들과 만나 웃으면서 지내는 일상들이요
엄마한테 투정도 부리고 반찬도 얻어가고
가끔씩 기댈 수 있는 집과
어디서라도 편안히 쉴 수 있는 공간, 그뿐인데.

과분하다고 느껴져요.

문득 그런 생각이 들대요
내가 자살기도를 해도, 혹 운좋게 누군가가 발견해
응급실에 데려다 치료를 시키고 입원까지 해준대도
그 비용을 내줄 사람이 아무도 없을 거란 사실을요

저마다의 마음으로 나를 생각하는 가족들이 있고,
내가 잘못된 길로 들어서지 않도록 매일이고 붙잡아주는 좋은
친구들이 있어요.
그럼에도 나는 가장 중요한 순간에는 늘 혼자였어요.

이렇게 말하면 애인이 그런 말을 해요, 누구나 다 혼자야.

과거를 붙잡고 살지 말라니

미안하다는 말로 모든 게 해결되지 않는다는 건 당신이 제일 잘 알잖아요

길바닥에서 발길질을 당하던 그날이 잔상처럼 계속 맴돌아요

울 수도 있지 다들 왜 울지도 말라 그러세요

내가 일기라는 이름으로 써왔던 기록들이 어쩌면 언젠가 내게 해가 될 지도 모르겠어요

인생이 망가지고 있다는 게 느껴져요

모든 게 다 제 탓임을 알아요

그때 그러지만 않았어도 난 이렇게 살지 않았을텐데, 하고 말아요

실은 모두가 똑같아요

미안하다고 내뱉어도 변한 건 없어요

나도 그래요

원망만 하다 죽어버릴 것 같은데

나는 정말 오래오래 살고 싶거든요

이제는 더 이상 서른이 되면 죽어버리겠다던 어린아이가 아니니까요

온전히 집중하는 시간이 없어요
먹은 것들은 죄다 토해내기 바쁘고
실속없이 살은 점점 쪄가고
기분은 저 바닥에 있어요
나는 재능도 없는 것 같고
할일도 제대로 해내지 못하고
힘듦을 털어놓을 용기도 없어요

안정된 삶을 동경해서
거세게 흔들리는 이 삶이 그저 평안한 거라고
나만 눈 가린다면 아무일 없을 거라고 생각했는데
결국에 또 혼자가 될 거예요

아무것도 해내지 못하는
멍청이

어떻게 저렇게 하루종일 잠만 잘까
나는 멀미가 난다
지칠뿐이야

원인을 알 수 없는
상처들이 늘어난다

우웩

사랑은 뒤집어봐도 사랑이래요

엄마, 엄마는 왜 날 버렸어요?
- 내가 널 버리긴 언제 버려.

난 아무리 생각해도 정신병자는 아닌 것 같은데 어른들이 병원에
가야하는 것 아니었을까. 날 버린 게 모순이라면 나도 엄마아빠를
한 번씩 버렸으니까 쌤쌤으로 칠게.

아무에게 사랑받지 못한 채 자란 아이는 남들에게 사랑이 너무
많아서 탈이라는 소릴 듣는 어른이 되었어요. 그 사랑들은 너무
대가가 없고 그저 찰나도 아닌 오래오래 머무는, 진득한. 우리의
사랑은 어디에나 있어요. 근데요, 도대체 왜 저한테는 닿지 않았나요.

나는 이제 너무 무서워서, 미워할 수 없는 마음마저 미뤄두고
사랑을 접고 싶어요. 영영. 겨우 몸을 뉘일 수 있는 고시원. 여성
전용 아래 그득그득한 쓰레기통과 살면서 보지 못했던 수많은

날파리들. 복도 측으로 나진 아크릴 창문. 아침이 된 줄도 모르게 깜깜했던 코너 방. 방과 방 사이에 끼어 문 마저 꺾여있던. 그래서 제일 저렴한 월세로 살 수 있었던 그 방에. 나는 얼마나 많이 죽고 싶다는 생각을 해왔을까. 하루하루를 그저 좀먹으며.

방문을 열고 고작 열 걸음만 가면 공동주방에 정수기가 있는데요. 밥은 오늘도 생략하지, 모기를 피해 창문을 닫자. 에어컨이 없는 여름. 무더운 밤을 열심히 이겨내면 흠뻑 젖은, 아무리 빨아도 구정물이 나오는 학교에 굴러다니던 대걸레 같이. 형체를 잃어가고… 또 다시 짙어져간다.

나, 이렇게 체격이 큰데 어찌 영양실조일 수 있나요. 옆방의 소음이 적나라하게 들리는 고시원에서 잠을 참고 숨을 참아내던 가쁜 하루들이 지나간다. 악착같은, 그마저도 아득한.

범람하는 자살충동을 우리는 사랑으로 막을 수 있습니다.

믿습니다, 믿습니다.

자식은 죄악이니, 사탄이 깃든 행동이니라.

어쩌구저쩌구. 그건 제탓이 아닌데요. 며칠 간은 정말 사탄이 내 몸에 깃들어 있는게 낫겠다는 생각을 했어, 우습지. 퇴마하면 안되나? 이런 거지같은 물음에 홀로 깔깔대다가.

눈을 감았다 떴더니 모르는 곳이야. 어두운 곳을 한참을 걸었어. 계속 끝이 없는 그곳을 계속. 그러다 이게 내 꿈속이라는 것을 알게 되었을 때의 그 안도감을 붙잡은 채로 겨우 울음을 참아냈다.

걔가 그렇게 죽고 싶다면 벌써 죽었겠지, 라는 아무개들의 말들을 뒤로한 채 걱정이 그득그득한.

〈폐쇄 병동에 입장하는 법〉
① 입원한다. (x) → 이건 못하겠어!
② 코로나 검사를 받는다. (다음 단계로)
③ 면회 전 예약이 필수! 그래도 하루 30분이 최대야!

그렇게 입장해도 물건 검열 당하고 방에 들어가 30분 정도를 마주할 수 있다.

※ 정신병원에 입원한 애인이 말하기를 졸피뎀은 우울증 약 중에 강도가 제일 세고 마약 대용으로 쓰이기에 복용자가 있다면 주변을 멀리하라네요.

엄마가 둘이 되고, 아빠가 둘이 되고. 언니가 둘이나 생기고, 남동생이 생기고. 영원할 것만 같던 가족이 이제는 나와 영영이고 연락하지 않는 사람임을 깨닫고.
가장*) 사랑했던 그 아이에게서 나는 최악이었다는 말을 듣게 되고. 이런데도 어찌, 흘러가게 보고만 있을 수 있나요.

---

*) '가장'이라는 말을 빼는 게 낫겠어.

하지만 이내 무력함을 깨닫고. 사랑한다고 왜 안 말해줘? 제발 말해줘. 이제 네 차례야. 계속해서 내 차례에서 머물고 있다는 것을 알지만 사랑해, 라고 말해버리는 우스꽝쟁이.

우리가 둘다 괜찮아질 때까지 서로 연애 생각않고 다른 사람을 만나지 말자, 하는 그런 우스꽝스런 제안에도 그저 알겠다고 해버린 얄팍한 사이가 너무 오래 지속될까봐 두렵다. 나, 오늘도 사랑한다고 얘기했어. 진짜로 사랑하는 지는 모르겠어.

거지같은 말들 사이로. 엄마랑 새아빠랑 술마시다가 "나 마흔 살에 결혼 할 거야. 자꾸 나보고 결혼하라고 하면 외국가서 여자랑 혼인신고 할 거야."라고 말했는데 요즘 애들은 개방적이구나, 하고 넘어가는 척하며 진지해지는 둘을 보며 울어야할지 웃어야할지 모르겠더라.

돈이 없어서 그래. 내 정신병은 다 너로부터 비롯된 거야. 아니 씨발. 얘는 지가 원래 정신병 있던 걸 왜 나한테 덮어씌우지?

남의 감정을 이해하지 못하고 내 자신을 잘 챙기지 못하며 점점 망가져가는 낡고 병든 어린 육체.

엄마에게 돈을 빌려 정신과 상담을 받는 청년이 있다. 이제 매일 10시 30분에 약을 먹어요.

증상 : 폭식증, 우울증, 공황장애, 조울증, 감정조절장애, ADHD

의심, 기억력 감퇴.

우울증 약과 폭식증 약. 두 알을 처방받았다. 만오천원도 안나왔어. 우라질!

어른들은 왜 말 잘 들으라 하면서 내가 받은 상처는 안중에도 없고 그저 미안해 한 마디로 미화해버리고 마는가. 그저 궁핍했던 과거였다며.

다시 집에 돌아오라는 이야기를 듣는다. 나는 그 집에서 나오려고 오랫동안 기다렸다. 어른이 되기까지. 모두에게 그건 불행이다.

다들 내가 어떻게 사는지 안중에도 없어.

내 마음속에 가족들의 방이 있다면 내가 가장 최근에 살았던 고시원의 9호방이 진열되어 있는 느낌이랄까.

냉장고도 책상도 없고 이렇게나 좁은데 28만원이나 받는다. 서울의 물가는 나날이 무서워진다.

영등포역 4번 출구 앞 노숙자들과 부랑자들을 지나 온갖 중국어 간판으로 쓰여진 가게들 사이 골목으로 들어가야 해요.

그래도 나 이제 잘 살 수 있겠지? 삐—

□ Yes   □ Of course

사랑할게. 네가 원하는 대로. 이제 다 그만하고 싶지만 시작해보고 있다. 실망이 늘어가지만 어쩔 수 없지. 나도 내 잘못인 걸 알아. 난 지금 정상적인 사고가 안돼. (이건 합리화가 아냐)

돈을 벌어야 살 수 있어.

그러려면 아주 열심히, 열심히 일해야 돼.

사랑이고 나발이고

만 22세에 가출청소년이 되어버렸다. 운좋게도 부천에 가까스로 심리적 정착을 하게 되었는데 이마저도 금세 사라질까봐 전전긍긍하는 중이다.

요새는 너무 바쁘고, 쉴틈을 짬내서 만들어야 한다. 우습게도.

제 휴대폰이 오토바이에 치인 얘기를 했나요? 휴대폰만 오토바이에 치여서 저 멀리 날아갔는데 제가 어어, 이러다가 느리게 아주 천천히 걸어가서 휴대폰이 아주 박살났단 얘기요. 안했다면 다행이에요. 겨우 돈을 벌어서 새 휴대폰을 장만했거든요.

사람을 사랑하는 게 인류애라면 만물을 사랑하는 건 뭐라고 하죠?

탐미는 쉬지 않고 하고 있다. 탐미주의자 예원은 피사체를 찾고 있습니다. 그건 사랑은 아니고요. 그저 예술의 일부입니다.

아, 내가 연애 얘기를 했었나. 그러니까 내가 어른이 되고 셋을 만났는데 셋 다 결말이 별로라 이제 더 이상 연애를 안하기로 했다는 사실도 덧붙일게요. 우스꽝스럽죠.

최근에 모두와 전화를 할 일이 생겼는데 셋 다 동시에 한 건 아니고요. 아무튼 간에. 최악이에요.

그런데도 여전히 사랑한다고 말한다니, 그게 어떻게 사랑이겠어요. 울고 불며 붙잡아보는 연애도 해봤고, 눈물 한 방울 나지 않고 헤어지자 고했던 연애도 해봤고, 엉엉 울면서 나날을 버티며 안전이별을 기다렸던 연애도 해봤으니, 이제 행복한 연애를 할 수 있을까요.

과연, 그럴까요.

아니, 일단은 연애는 쉴게요.

우습지요?

영원한 사랑이 믿음이라고 굳건하게 깨닫던

사랑을 영원하게 할 수 있다고 생각해요?
- 아니, 그 사랑이 영원하다고 생각하세요?

충혈된 눈을 이끌고 문을 닫아버리는 아슬아슬한 마음들.

결국에는 아무것도 해내지 못하고 울어버리는 말들 사이에서 겨우 눈물을 그치고 하루를 살아가는데,

또 아무것도 해내지 못할까봐, 전전긍긍.

나, 잘 해내고 있는 거 맞겠지?

우린 어쩌면 같은 악몽을 꿨던 것일지도 몰라

한때는 나의 사랑이었던 그 아이와는 앞으로 영영 모르는 사이로 지낼 것 같고, 그 아이와 연애할 때는 그렇게도 미웠던 그 아이의 전 연인과 친구가 되었다. 세상이란 게 참 무섭고 웃겨.

아, 내가 그 사람 얘기를 했었나?

어찌됐든 그 사람, 나에게 내 일기가 자해같다고 평해주었던 건 내가 요긴하게 잘 써먹을테니 그렇게 아세요.

정신병원에 실려가는 애인을 보면서 어리둥절 예원을 겪었지요. 폐쇄병동과 개방병동을 거쳐서. 세 번의 자살기도를 맨몸으로 부딪히며.
그런데도 어디선가 제 욕을 하고 있겠죠? 고마운 줄 아세요!

아, 아. 이런 얘기하는 것도 미련이래요.
내가 아직 널 사랑하고 있겠니.

언젠가 사랑하는 벗이 그러대요

우리는 사랑이 너무 많아서 탈, 이라고요.

그 사랑은 종종 제게 독이 되었습니다.

불가피하게 투기되는 무대가의 사랑들은
한 사람의 신념을 무너뜨리기도 하다가
변질되어 돌아와 제게 비수를 꽂기도 했어요.

그럼에도 우스운 건
미워하는 일에는 그다지 소질이 없어요.

영영
당신을 사랑할 수 밖에 없다는 사실
아무리 나를 미워한데도요.

세상은 정말 우습게도

내가 사랑하는 이는
나를 영영 사랑하지 않을 것만 같고

내가 사랑했던 이는
애초 날 몰랐던 것처럼 영영 잊어버리고

사랑은 우습게도
나를 엉엉 울게 만들었다가
영영이지 살 수 있게끔 만들고

나는 정말 영영과 엉엉을 좋아하는데
두 단어의 거리는 너무나도 멀다

해를 떠나보내다

세상에게 내가 사랑하는 만큼
나 역시도 사랑해달라고 애원했던
한 해였습니다

내년에 저는 더 사랑을 하겠지만
어쩌면 더 사랑받지 못할 수도 있겠지요

여전히 엉엉 울지만
할 일이 산더미처럼 쌓여있어
우는 일마저 미뤄두는 어른인걸요

더 사랑해볼게요
안녕히-!

사랑 아래 행복이 늘 있어요

그 사랑은 헌신일까요, 불가피한 잔재일까요. 사랑이 전혀 없는 사람처럼 굴어볼까요. 있잖아요, 저는 종종 제가 별종처럼 느껴져요. 가끔씩 정말 이따금 별종이 아닌 것 같다는 생각이 들어요. 내가 정말 평범한 사람인 것 같다는 생각이 들어요.

여전히 분노에 취약해요. 엉엉 울기를 반복하고요. 걱정에 휘말려서 사랑을 고이 접어두는 법 조차도 미숙하고 미흡해요. 감내해내지 못해요.

우리 줄곧 사랑을 말했는데 행복은 무엇이라고 생각해요?
행복 그저 평범한 거예요. 언제나 곁에 있는.

사랑은 늘 깃들어 있을 거예요, 예원에게!

예원이를 어떻게 사랑하지 않을 수 있겠어

사랑은 무엇일까요. 저는 여전히 사랑으로 살아요. 요즘 만나는 사람들 모두가 그러대요, 저를 어떻게 사랑하지 않을 수 있겠냐고요. 난 이 말을 오래도록 기다려온 사람처럼 기어코 곱씹었어요. 일기에도 적어두고요.

영영 그럴 거예요.

앞으로도 영영.

사랑한다는 말 하기엔 쉽잖아요. 내뱉기엔 두렵지만.

그까짓 사랑이 뭐라고, 제가 거기에 그렇게 목매는 청춘들이에요.

사랑으로 말미암아

나의 사랑은 그저. 명명하기에 달렸다.

당신은 내게, 네 사랑은 사랑이 아니라고 했다. 그게 뭐 어때서. 네 사랑이나 신경 써라.

나는 영영을 사랑하다가 오래오래 살아남을 테다.

이제야 행복했다, 이야기할 수 있는 그날이 오기까지.

벗에게서 온 편지

한낮의 입김, 긴 밤에 서린 일기

　이야기를 짓는 사람들은 난처해집니다. 거짓말쟁이에게는 "소설을 쓴다"고 말하고, 정작 소설을 쓰면 "일기를 쓴다"며 비판하기 마련이니까요. 그 무엇이든 써내려가는 행위는 썩 좋은 평가를 받기 어렵습니다. 하지만 "노래를 잘 못 부른다 해도 안 부른다고는 할 수 없다"던 희대의 성악가 '플로렌스 포스터 젠킨스'의 말처럼, 홍예원의 글쓰기를 부정할 수는 없을 것입니다. 이것은 '그럼에도' 살아가는 한 사람이 부지런히 찍어 누른 발자취이기 때문이지요.

　〈사랑으로 말미암아〉가 출간되기 전, 먼저 읽을 기회를 주어 고맙습니다. 홍예원이라는 사람이 누구인지 더 알게 되었고, 더욱 알아가고 싶은 마음이 생겼어요. 자신이 쓴 글이 일기인지 시인지 걱정되어 몹시 혼란스러워하던 모습이 기억납니다. 그때 명확히 말해주지 못해 이 글에서나마 얘기해주고 싶어요. 이것이 일기로 읽히든 시로 읽히든, 일기를 누군가에게 보여주는 것부터 용감하다고요. 시로 읽히는 것 또한 마찬가지입니다. 일기, 시 혹은 일기시(詩)나 (詩)일기가 되면 어떤가요? 그건 자격이 필요없는 일이잖아요.

장르가 무엇이든 홍예원이 썼다는 사실만은 '영영'하잖아요.

사랑이 무엇인지 확고하게 말할 수 있는 사람과는 굳이 친해지고 싶지 않아요. 저는 언젠가 사랑을 잘 모르는 누군가에게 함께 흔들리고 휩쓸리자고, 더 열심히 모르고 엉망이 되어버리자며 이 책을 내밀고 싶어요. 분명 우리는 기꺼이 친구가 될 수 있을 거예요. 〈사랑으로 말미암아〉를 통해 작은 바람이 생겼습니다. 다정을 내어주는 사람들은 사실 그만큼의 다정을 바라기도 하다는 것. 그것을 말하기를 망설이지 않기로요. 언젠가 다정이 흐르고 흘러 예원에게 가득 고이기를. 의심하는 것은 분명 당신의 잘못이 아닐 거예요.

친애하는 예원의 '사랑'을 응원해요.

부서진 말들로 쌓아 올린 모래성

나의 일상에게 건네는 안부와
마음에 오래도록 남은 타인의 말까지

이 책은 부서진 말들로 쌓아 올린 하나의 모래성이다.

예원은 독자에게 자신이 쌓아 올린 모래성에 구멍을 내어 훔쳐
보기를 권한다. 타인의 생각을 훔쳐보는 일만큼 재밌는 게 또 있을까?

손을 들어 올려 예원의 모래성에 구멍을 내보자. 각기 다른 모양의
창문들을 만들어보자. 그렇게 하나밖에 없는 아름다운 성이 완성된다.

우리가 만든 창문으로 햇살이 밀려들어온다.
빛을 받아 하나 둘 반짝이는 소중한 마음들.

그 마음의 모래알을 하나씩 주워 가세요.

손에 꼭 쥐고,

사랑으로 말미암은 저만의 모래성을 만들어보세요.

〈사랑으로 말미암아〉 나의 기억 상자이기도 한…

남의 일기장을 훔쳐본다는 것이 얼마나 흥미로운가?

우울을 대놓고 보여주는 게 얼마나 재미있는가?

읽어도 후회하지 않을 것이다. 나와 다른, 어떤 한 사람의 인생을 들여다볼 수 있는 기회다.

나는 내 친구로 말미암아 행복했던 시간이 가득하다. 맨발로 잔디를 밟고 그네 타며 하드를 먹고, 새벽까지 오락을 하고, 허기를 달래기 위해 라면땅을 부숴 먹은 벗.

수많은 시간을 나누며 서로에게 의지하고 자칫 부끄러운 모습까지 보였다. 다정을 건네주지 못해 미안한 순간도, 하지만 그것이 우리의 다정을 만들어 가는 과정이었음을 각자가 알고 있다. 상처를 주고 아픔을 공감해주지 못한 시간에서 흠집을 그 자체로 받아들이는 사이가 되기까지.

내가 친구의 축사를 써줄 수 있는 사람이라는 것이 설레고 고맙다.

〈사랑으로 말미암아〉는 친구의 자취다. 글이란 것이 결국엔 독자에게 평가받는 것이겠지만, 이 책만큼은 그렇지 않았으면 좋겠다.

독자에게 고스란히 녹아들었으면 한다.

나의 바람이지만, 이 책이 한 권으로 끝나지 않기를…

사랑으로 말미암아

from 홍예원
thanks to 최현수, 손지원, 이주영

뒤죽박죽 엉망투성이인 날것의 글들을 읽어주셔서 감사합니다. 부디 마음에 들지 않으시더라도 우스갯소리겠거니 하고 넘어가주시고, 얘는 일기를 이렇게 쓰나 보다 하고 책을 덮어주세요.

영영 사랑하겠지만 미워할 때도 있다고 생각해요. 그러지 않기로 약속했지만요. 미워하고 사랑해도 예원은 예원으로 살아갈 테니 변하는 건 없겠지요?

어쩔 수 없이 평가받겠지만 넓은 아량으로 가볍게 삼켜주시면 더할 나위 없이 행복할 것 같습니다. 뱉어도 무방하지만 굳이 제게는 으름장 놓으실 필요는 없으세요. 저는 그저 제가 하고 싶은 것들을 이뤄는 것뿐이니까요.

아직 아무런 계획도 없지만 혹여나 다음 일기가 또 책으로 나온다면 더 성장한 모습으로 찾아뵙겠습니다. 불안정하고 위태롭던 예원의 삶에 오롯이, 나타나주셔서 감사합니다.

앞으로도 잘 부탁드립니다. 아무쪼록 모두 무탈하시고 건강하세요. 사랑 속에서 안온한 다정들과 행복만이 가득하기를 소원합니다.

이따금 사랑을 갈구하는 예원에게

주저없이 다정과 사랑을 베풀라고 전하며,

일기를 덮습니다.